長崎盛輝

版

かさねの色目

平安の配彩美

Layered Colors

青幻舎
SEIGENSHA

表紙カバー　「源氏物語画帖」第34図「若菜上」
土佐光吉筆　桃山時代
京都国立博物館所蔵

はじめに

かさねの色目は「重色目」、或は「襲色目」とも書かれるが、これは（一）袷《あわせ》仕立ての衣の表裏の裂を重ね合わした色を指す場合と、（二）装束としてその衣を何枚も重ね着してその表にあらわれる衣色の配列を指す場合があるから、文字だけではいずれか紛らわしい。ために、本書では前者には「重」を、後者には「襲」の字を用いることにした。

これら、重・襲の色目の問題はわが服飾史、風俗史、色彩文化史等の研究書にとり上げられており、それには色票を付しているものもある。然し、かさね色目全体に亘っているものは少ない。それは、これらの史書の内容が広範に亘るためこの問題に深く立入る余裕がないからである。したがって、かさねの色目を専門に研究する場合は、色目全般に亘る色彩資料を別にもとめなければならないことになる。

この度、かさねの色目の書を公けにすることになったが、その意味でお役に立てられれば幸である。かさねの色目に限らず、色彩の史的研究には考察の資料となる具体的色票が是非必要である。江戸前期の儒者、木下順庵の言を借りれば、「色ノ文字ニナリテハ、詩人文人ノ言ハ何ノ益ニ立タズ（中略）、色バカリハ言ヲ以テハ伝フベカラズ。是レ此色ト見スルヨリ外ナシ…」（『槐記』享保十三年六月廿一日の条）、である。本書は、重・襲の両色目を表示する色譜と、その解説書から成っており、色譜には資料の故実書に見られる色目の中から代表的なものを掲載し、解説書ではその色目に関する事項を解説すると共に、色譜にとり上げなかった説も一覧表示しておいた。なお、本書の色譜に掲載の色はすべて拙著『日本傳統色彩考』にもとづいて考証、表色したものである。ところで、別冊の解説書を見れば、重・襲の一つの色目の配色法には多くの別説があることがわかる。それらの別説は、かさね色目が行われるようになった平安時代から鎌倉・室町時代にかけて故実諸家の間から出たものと思われる。これを衣の重色目の配合（表・裏の色）について見れば、別説が最も多い「桜《さくら》」の色目では二十説、次で同系の「樺桜《かばざくら》」の十六説があげられる。その他の色目にも十説程度のものは少なくない。本書では百九十六種の色目に対して、七百十九の別説をあげた。上巻色譜には植物名の色目を中心に百二十種を掲載したが、それらは同一名の諸説の中でその色目の名にふさわしいものである。なお、重色目には、名称はちがっていても、表・裏の色が同じもの（同色異名）があるが、色譜にはそうした色目の重複を避けるようにした。

次に、装束上の襲色目の配色法にも時代的なちがいがみられる。それに関する著名な文献には、平安時代末の源雅亮の著『満佐須計装束抄《まさすけしょうぞくしょう》』と、室町時代応永の頃の一条兼良の著とされる

『女官飾鈔《じょかんかざりしょう》』と、定かではないが、天文の頃聖秀尼宮の著と伝えられる『曇華院殿装束抄《どんげいんでんしょうぞくしょう》』の三書がある。時代的には勿論『満佐須計装束抄』が古く、この書から平安期の色目を知ることが出来るが、女房の襲色目については、単《ひとえ》と五ツ衣《いつつぎぬ》（重袿《かさねうちき》）の色の配合のみがのべられている。これに対して『女官飾鈔』では、単・五ツ衣・表着《うわぎ》・小袿《こうちき》までの配合がのべられている。次の『曇華院殿装束抄』では、単・五ツ衣・表着までの配合が図表で示されているが、色の名は絵具名で示されているから、色の表示は解説者の別表によって染色の中から近似色をあてるほかはない。色譜下巻には、以上三書の襲色目の中、『満佐須計装束抄』から三十三例、『女官飾鈔』から三十二例、『曇華院殿装束抄』から二十七例をあげておいた。これらは各書の中では配色の多彩なものである。なお、巻頭の三色配合の六例は小袿などに見られる中倍《なかべ》を入れた「三重がさね」の配合で『薄様色目』からえらんだものである。以上二巻の色譜の表色に用いた染裂は、色目表示の正確を期しその変褪色を最小限におさえるために化学染色によることとし、その生地は色調が均一的にあらわれるよう無文の上質絹衣を用いた。

かさねの色目の研究は平安以来行われており、近世ではそれに関する研究書は少なくないが、色票をもって示した古書は、管見では、江戸時代文化十四年刊の猪飼正穀著『重色目』と、時期・著者は定かではないが、同年頃と思われる『かさ祢乃いろ免』（かさねのいろめ）と、文政九年刊の中村惟徳著『宇須やう色目』（薄様色目）を見るにすぎない。ただし、『宇須やう色目』

は書名の通り、消息用の薄様紙の色目を衣の重色目にならってあらわしたものである。ところが、明治に入って洋風文化の流入と共に、この研究は一時歴史学者の間では学的研究のテーマと見なされず、専ら故実家の間に限られたようであるが、近年になって服飾史・風俗史・色彩史等の各分野で研究されるようになり、染色々票の表示による著書も刊行されている。本書もこれにならうものである。この色譜制作にあたって、嘗て繪畫専門学校で日本服装史の教えを受けた猪熊淺麿先生の御講義とその都度示された貴重な古裂の色がなつかしく思い出される。

かさねの色目の研究では、季節毎に如何なる色目がえらばれるかが問題になるが、その色目の多くは自然の植物に関わるものである。これによって、当時の人々が如何に「季」というものを大切にしたかがわかる。平安の服色にはうつろいゆく大自然の表情が感じられるのである。その季による配彩美を平安人が如何に表したかをこの、かさねの色目の色譜は物語っている。

本書の出版に当たり、御世話いただいた方々に感謝の意を表したい。また、制作・指導の多忙な時間をさいて、重色目の季の花をそえてくださった京都市立芸術大学の木下章教授に敬意と感謝を表したい。

昭和六十二年十一月

長崎盛輝

（『譜説　かさねの色目配彩考』昭和六十二年刊より）

［凡例］

一、本書は長崎盛輝著『譜説　かさねの色目配彩考』（昭和六十二年刊）をもとに構成、編集したものである。

一、色票は衣（きぬ）の表・裏の重色目一二〇種を示したもので、色票の横に色目の表・裏の色名、番号・色目名称を配し、着用時期を春・夏・秋・冬及び四季通用、の五つに分け、季の境目を【】内に表示した。

一、次に、『薄様色目』所載の中倍（なかべ）配合「三重がさね」の配色六種、つづいて『満佐須計装束抄』より三三種、『女官飾鈔』より三二種、『曇華院殿装束抄』より二七種、最後に両巻の色目構成の基本となる四八色を『譜説　日本傳統色彩考』にもとづいて表示した。

一、また巻末掲載の色票チャートは、染・織色の基本色四十八色を収録、四色のプロセスインキを使用し、網点の階調の変化と組み合わせにより、原本の色調に近づけた。

一、なお、右の襲色目の配色はすべて表面にあらわれる衣の表の色である。装束の衣の襲ね方については解説を参照されたい。

目次

II 各説

かさねの色目

色票

1 梅《うめ》

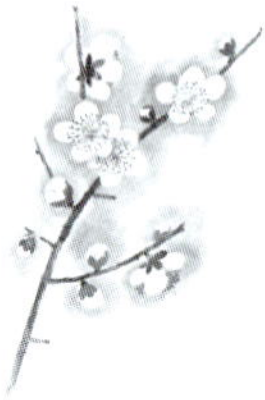

表白・裏蘇芳

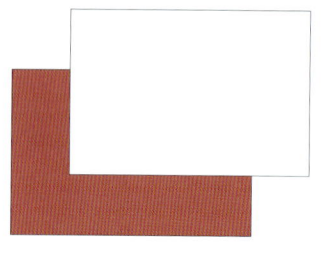

2 梅《うめ》重《がさね》

表濃紅・裏紅梅

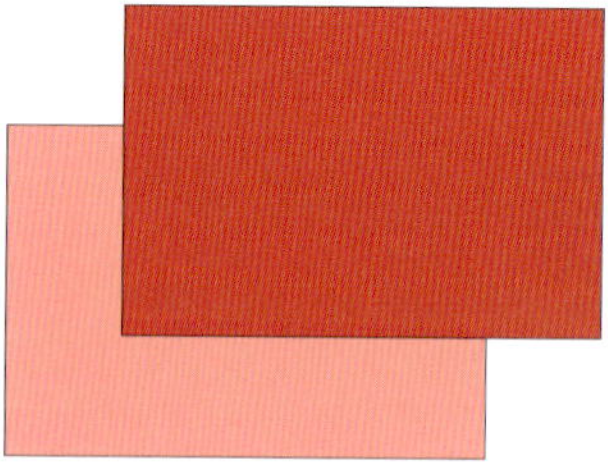

3 裏《うら》梅《うめ》

表紅梅・裏紅

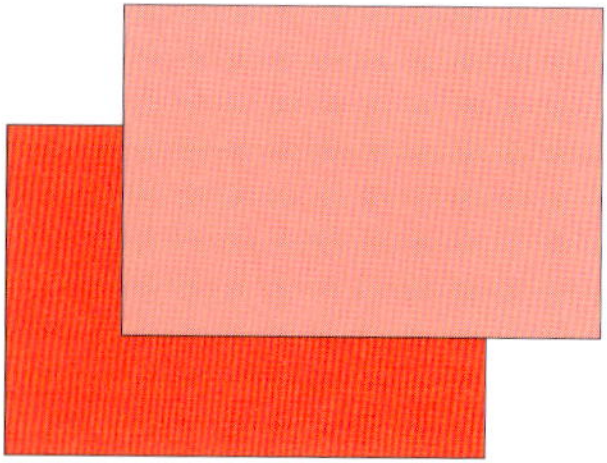

4 紅《こう》梅《ばい》

表紅梅・裏蘇芳

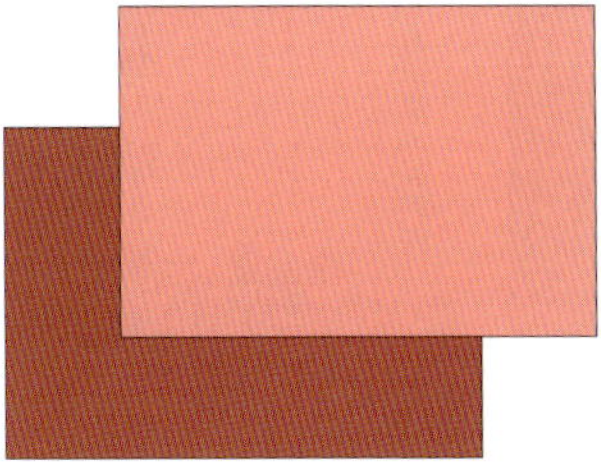

5 紅《こう》梅《ばいの》匂《におい》

表紅梅・裏淡紅梅

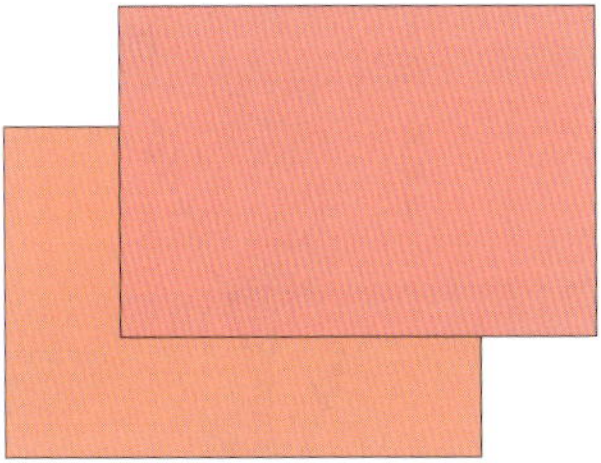

6 莟《つぼみ》紅《こう》梅《ばい》

表紅梅・裏濃蘇芳

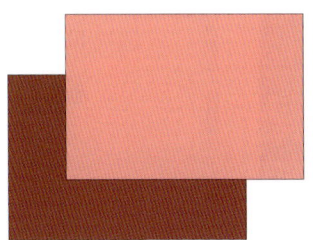

7

若《わか》草《くさ》

表淡青・裏濃青

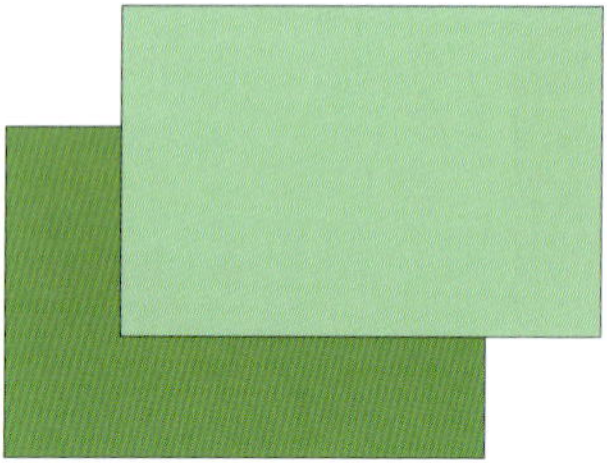

8

柳《やなぎ》

表白・裏淡青

9

面《おも》柳《やなぎ》

表濃青・裏濃青

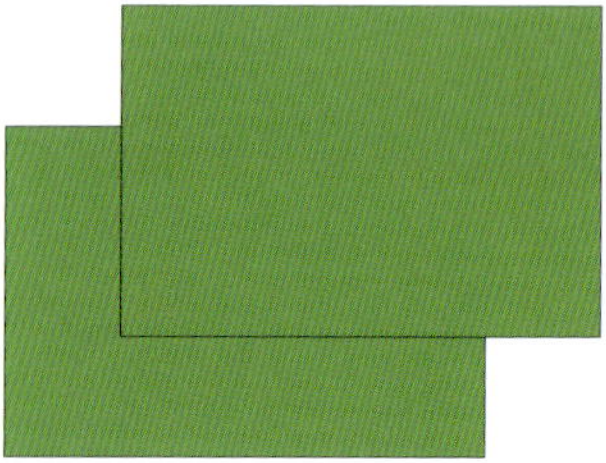

10 黄《き》柳《やなぎ》

表淡黄・裏青

11 青《あお》柳《やなぎ》

表濃青・裏紫

12 花《はな》柳《やなぎ》

表青・裏淡青

13 柳《やなぎ》重《がさね》

表淡青・裏淡青

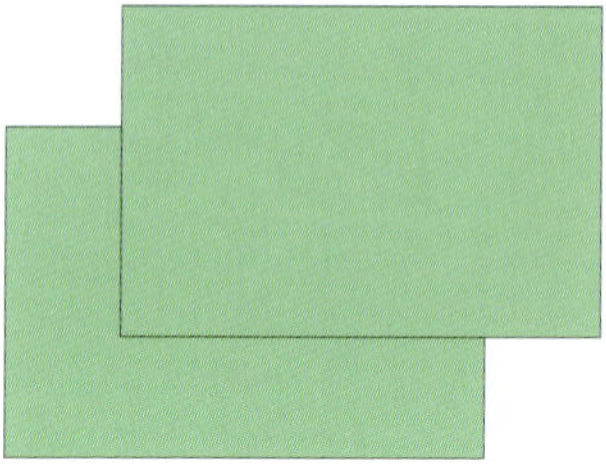

14 桜《さくら》

表白・裏赤花

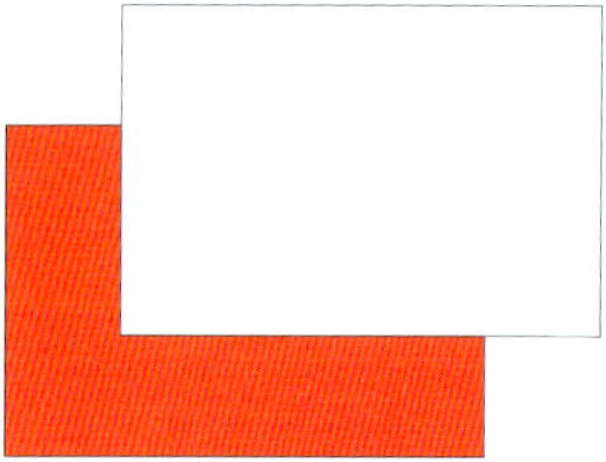

15 樺《かば》桜《ざくら》

表蘇芳・裏赤花

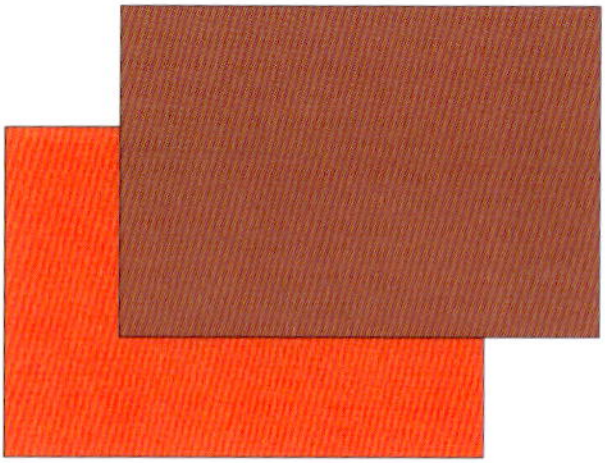

16 薄《うす》花《はな》桜《ざくら》

表白・裏淡紅

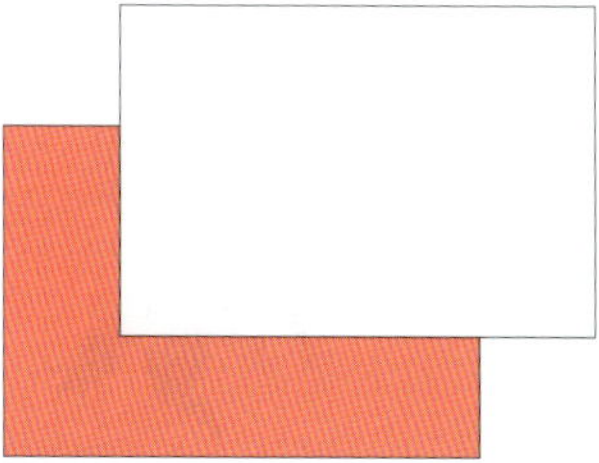

17 桜《さくら》萌《もえ》黄《ぎ》

表萌黄・裏赤花

18 薄《うす》桜《さくら》萌《もえ》黄《ぎ》

表淡青・裏二藍

19 葉《は》桜《ざくら》

表萌黄・裏二藍

20 菫《すみれ》

表紫・裏淡紫

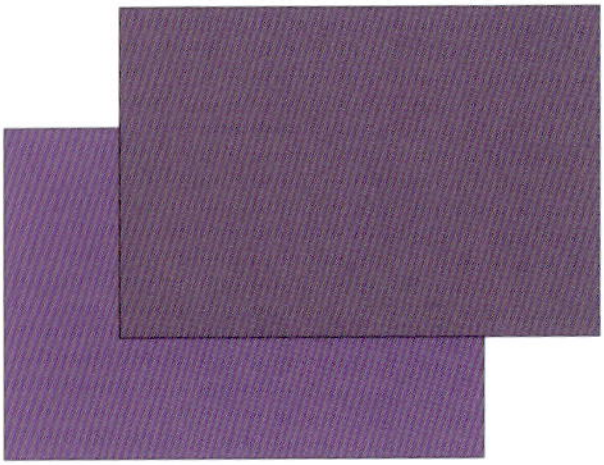

21 壺《つぼ》菫《すみれ》

表紫・裏淡青

22

桃《もも》

表淡紅・裏萌黄
（中倍白）

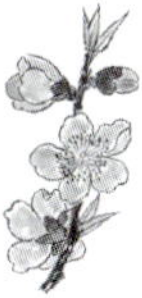

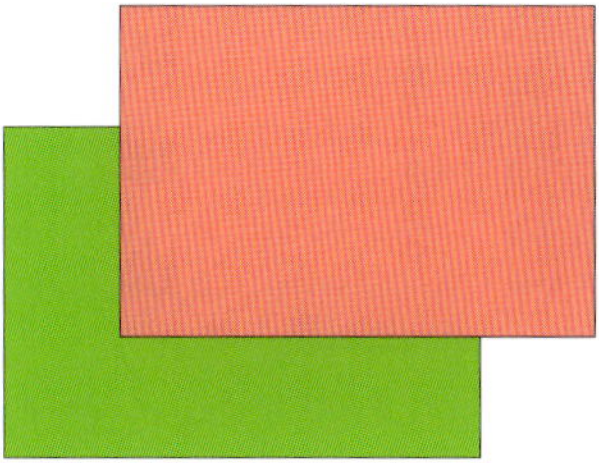

23

早蕨《さわらび》

表紫・裏青

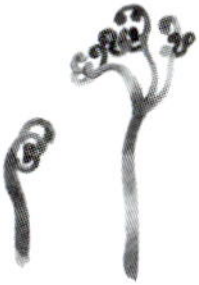

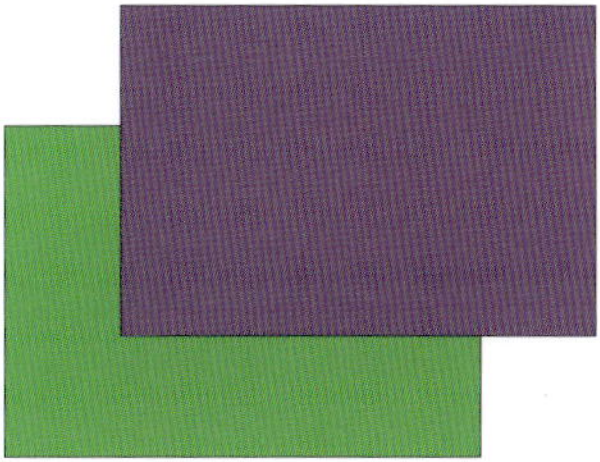

24

躑躅《つつじ》

表蘇芳・裏萌黄
（中倍白）

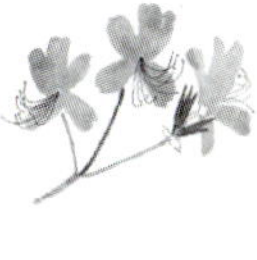

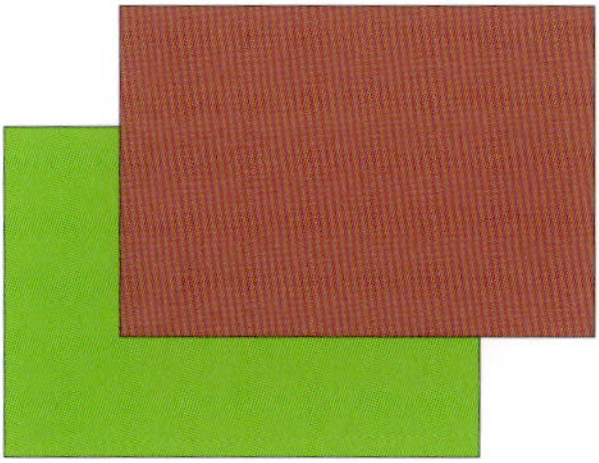

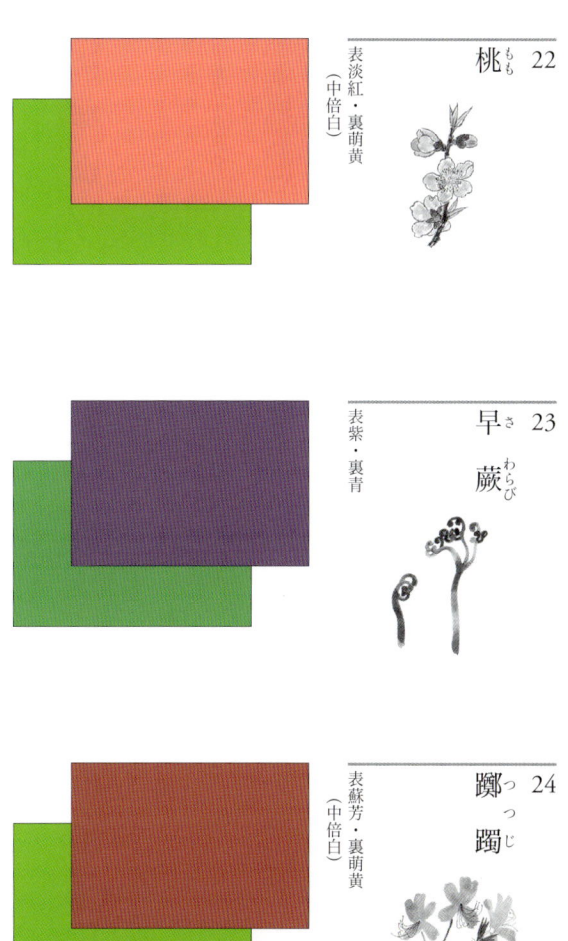

25 紅《くれない》躑躅《つつじ》

表蘇芳・裏淡紅

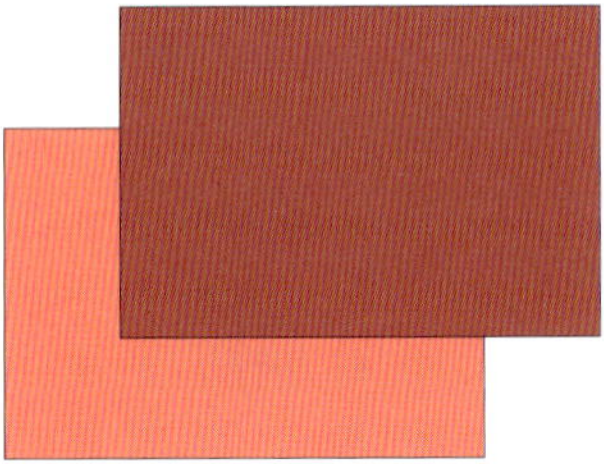

26 白《しら》躑躅《つつじ》

表白・裏紫

27 山《やま》吹《ぶき》（欵冬）

表淡朽葉・裏黄

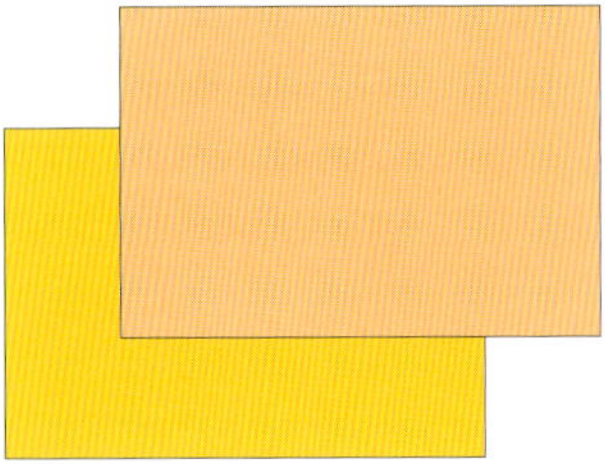

28 裏《うら》山《やま》吹《ぶき》

表黄・裏紅

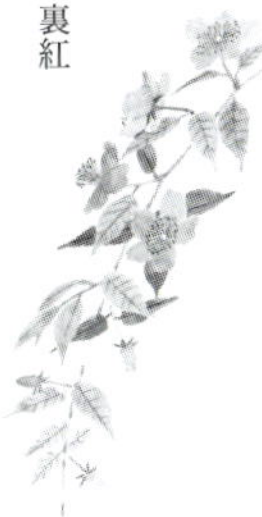

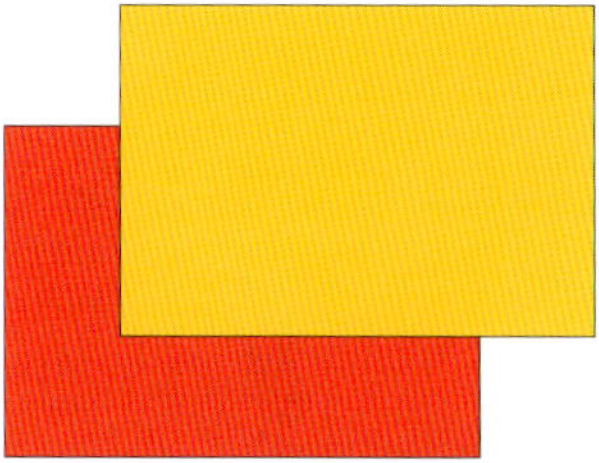

29 山吹匂《やまぶきのにおい》

表山吹色・裏黄

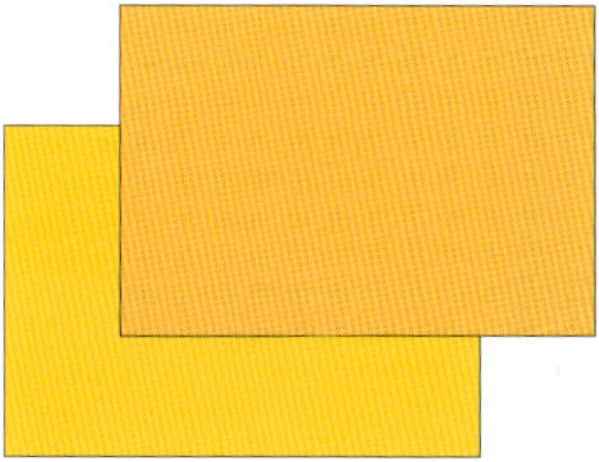

30 青《あお》山《やま》吹《ぶき》

表青・裏黄

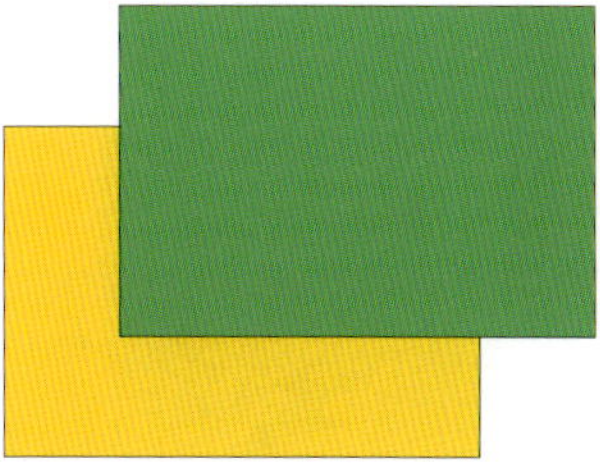

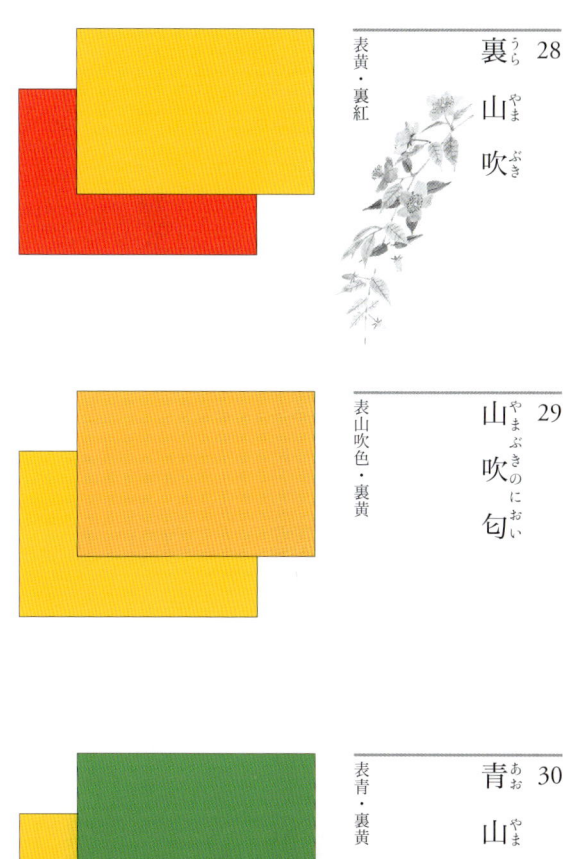

31 藤《ふじ》

表薄色・裏萌黄
（中倍淡青）

32 白《しら》藤《ふじ》

表淡紫・裏濃紫

33 牡《ぼ》丹《たん》

表淡蘇芳・裏白

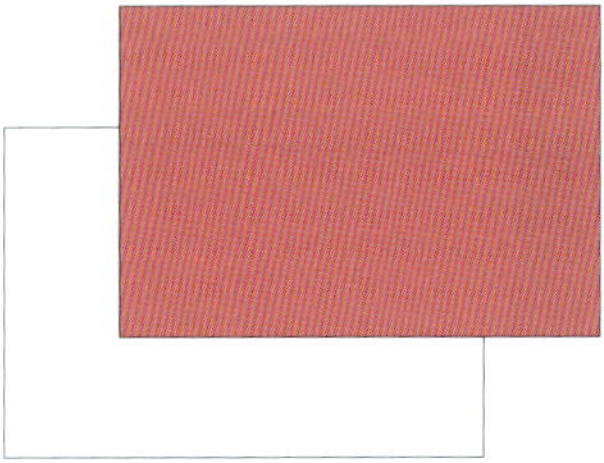

夏

34 卯《うの》花《はな》

表白・裏青

35 蝦《かえ》手《で》（鶏冠木・楓）

表青・裏青

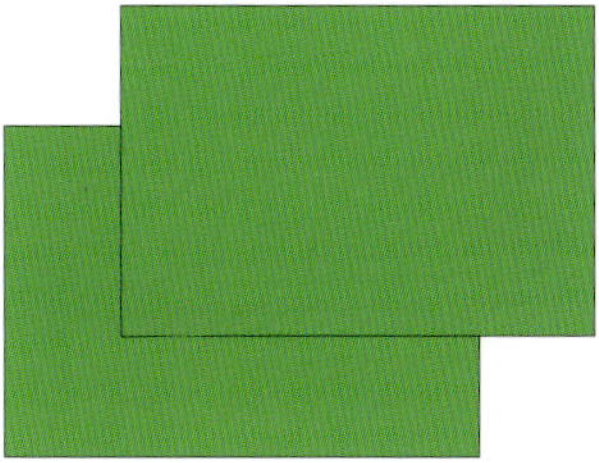

36 若《わか》蝦《かえ》手《で》（若鶏冠木・若楓）

表淡青・裏紅

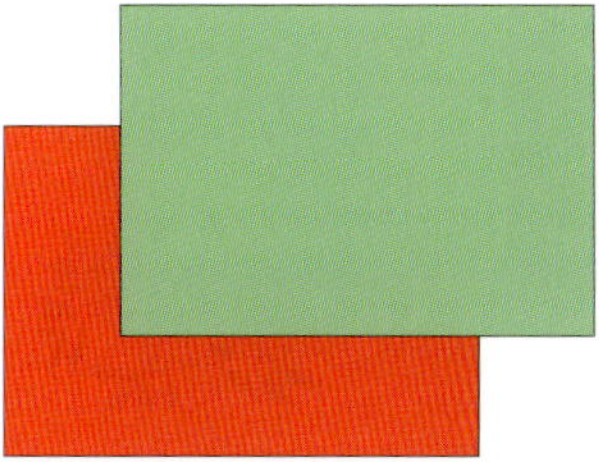

37 杜若《かきつばた》（燕子花）

表淡萌黄・裏淡紅梅

38 葵《あおい》

表淡青・裏淡紫

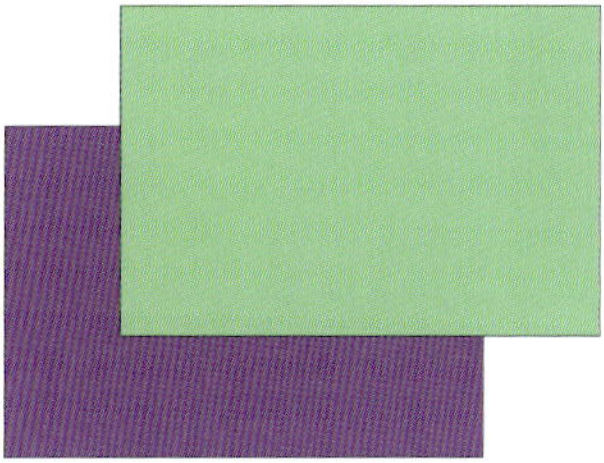

39 棟《おうち》（樗）

表薄色・裏青

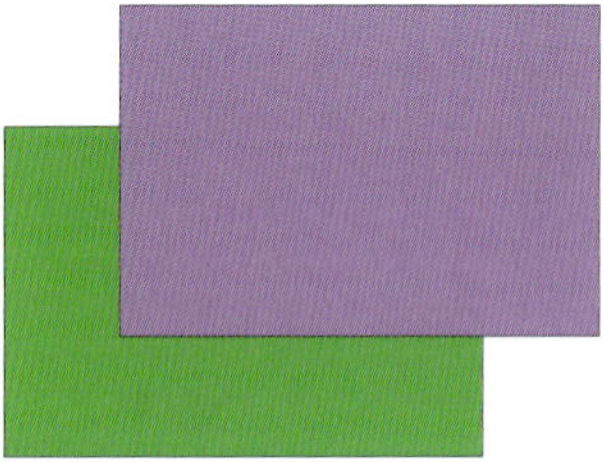

40 蓬《よもぎ》

表淡萌黄・裏濃萌黄

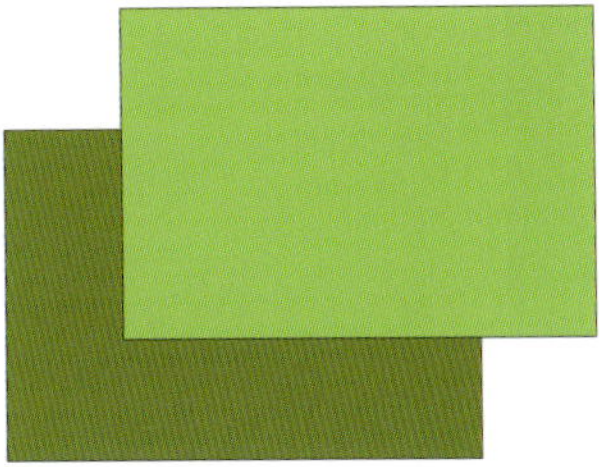

41 百《ゆ》合《り》

表赤・裏朽葉

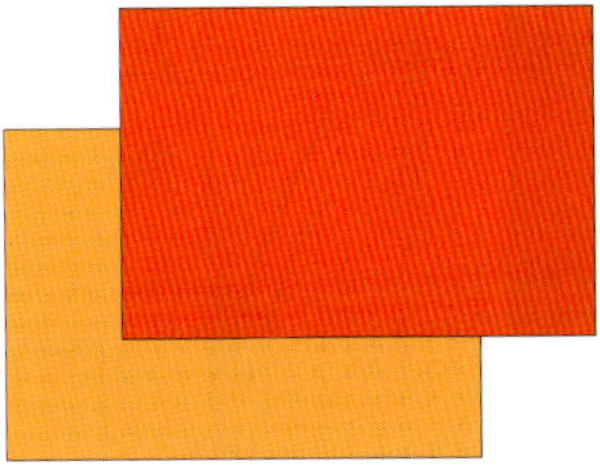

42 苗《なえ》色《いろ》

表淡青・裏黄

43 若《わか》苗《なえ》

表淡木賊・裏淡木賊

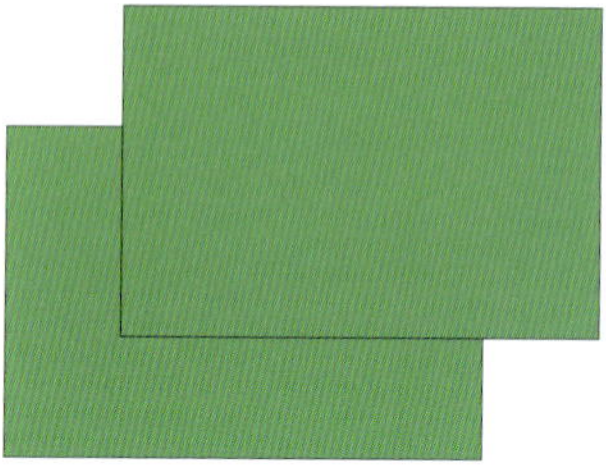

44 菖《しょう》蒲《ぶ》

表青・裏濃紅梅

45 破《は》菖《しょう》蒲《ぶ》

表萌黄・裏紅梅

46

若《わか》菖《しょう》蒲《ぶ》

表淡紅・裏青

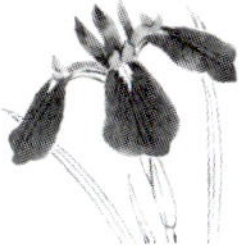

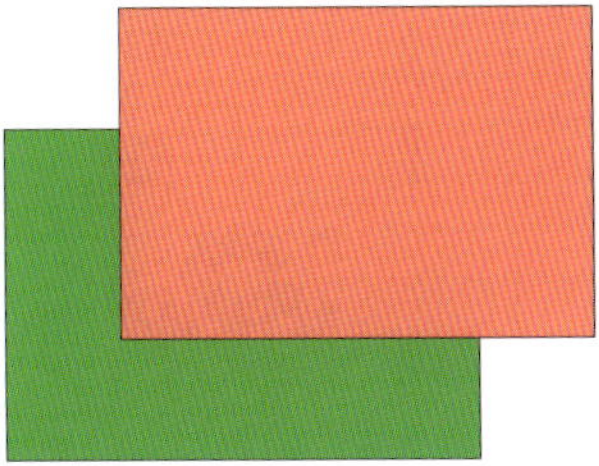

47

根《ね》菖《しょう》蒲《ぶ》

表白・裏濃紅

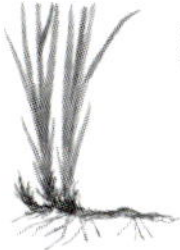

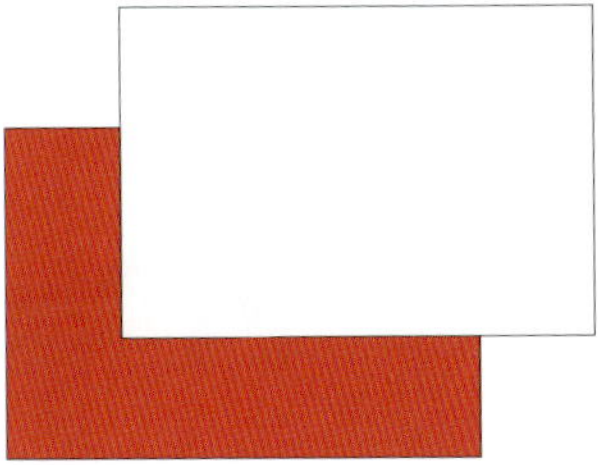

48

菖《しょう》蒲《ぶ》重《がさね》

表菜種・裏萌黄

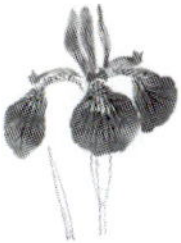

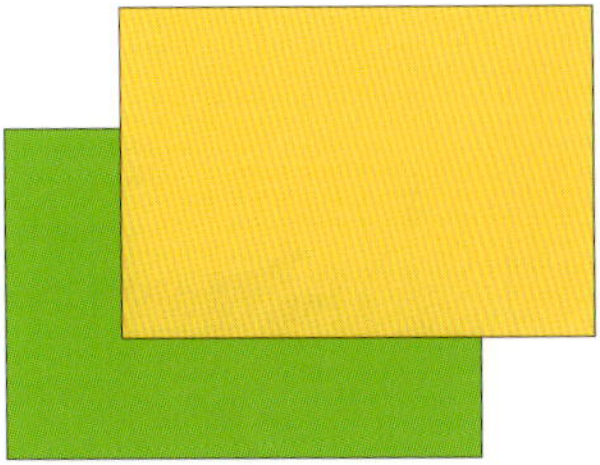

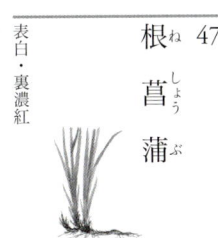

49 薔《そう》薇《び》

表紅・裏紫

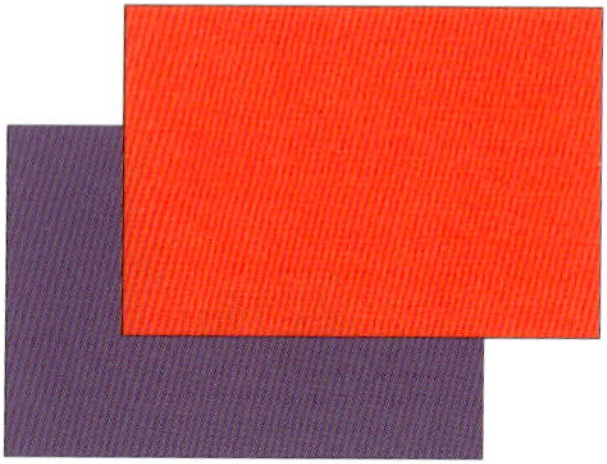

50 橘《たちばな》

表濃朽葉・裏黄

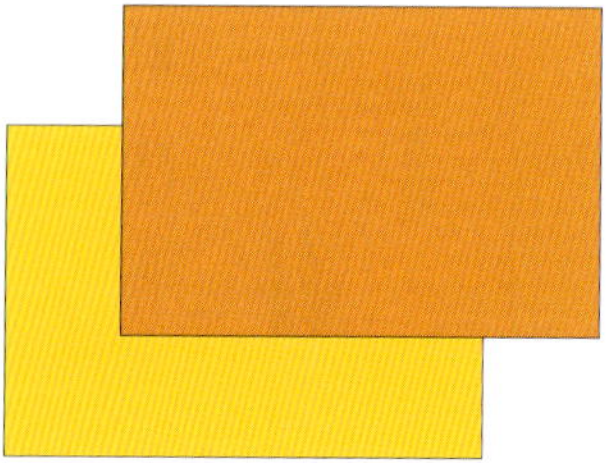

51 花《はな》橘《たちばな》（盧橘）

表朽葉・裏青

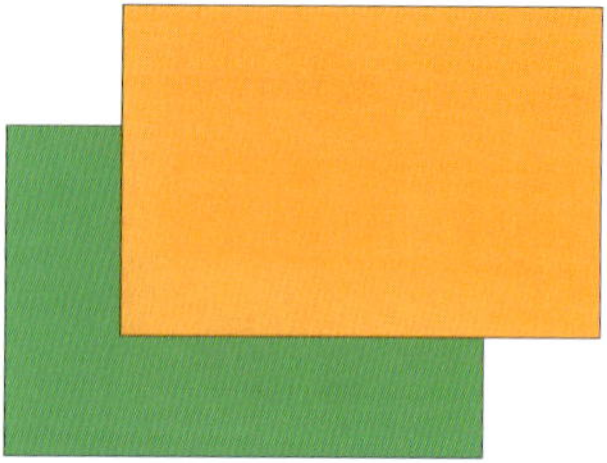

52 撫《なでし》子《こ》
（瞿麦）

表紅・裏淡紫

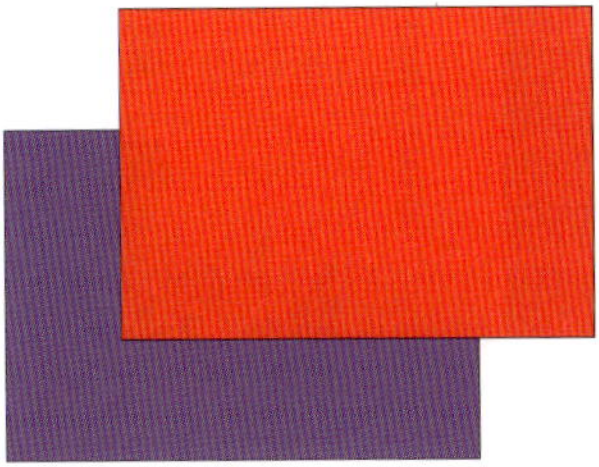

53 唐《から》撫《なでし》子《こ》
（韓撫子）

表紅・裏紅

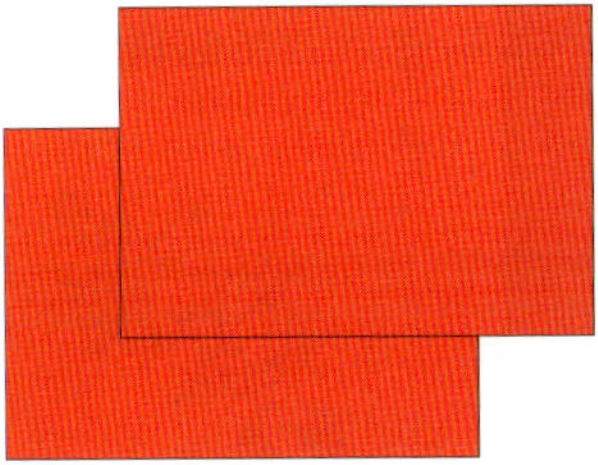

54 蟬《せみ》の羽《は》

表檜皮色・裏青

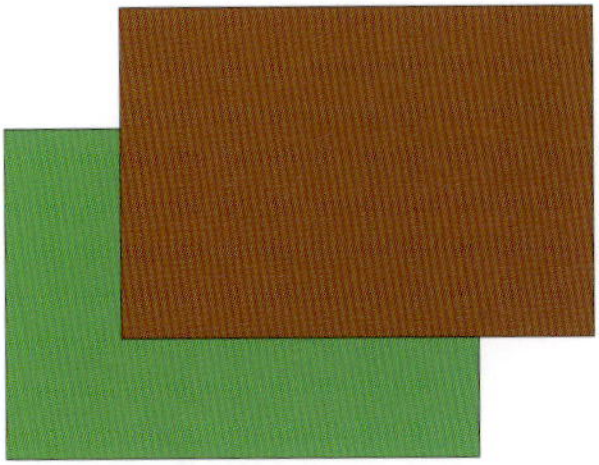

【秋】

55 夏《なつ》萩《はぎ》

表青・裏濃紫

56 萩《はぎ》（芽子）

表紫・裏白

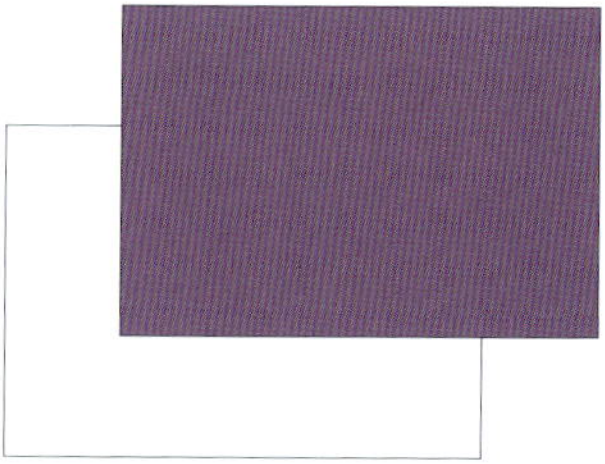

57 萩《はぎ》経《たて》青《あお》

表経青緯蘇芳・裏青

58 萩《はぎ》重《がさね》

表紫・裏二藍

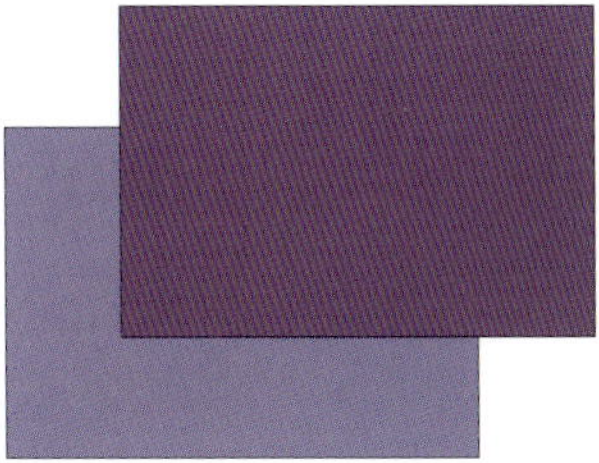

59 花《はな》薄《すすき》

表白・裏縹

60 女郎花《おみなえし》(敗醤)

表経青緯黄・裏青

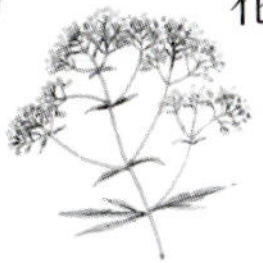

61 朽《くち》葉《ば》

表濃紅・裏濃黄

62 青《あお》朽《くち》葉《ば》

表経青緯黄・裏青

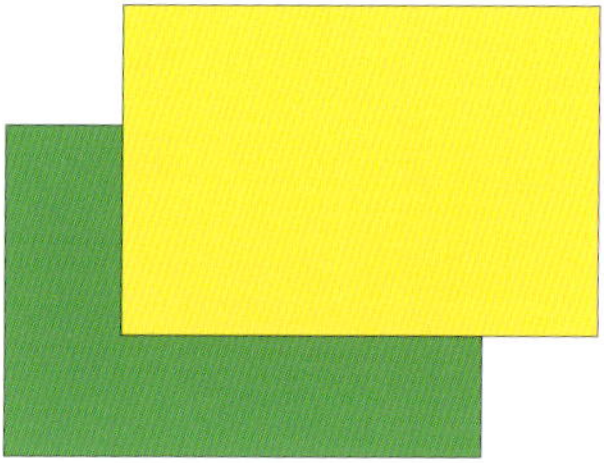

63 赤《あか》朽《くち》葉《ば》

表経紅緯洗黄・裏黄

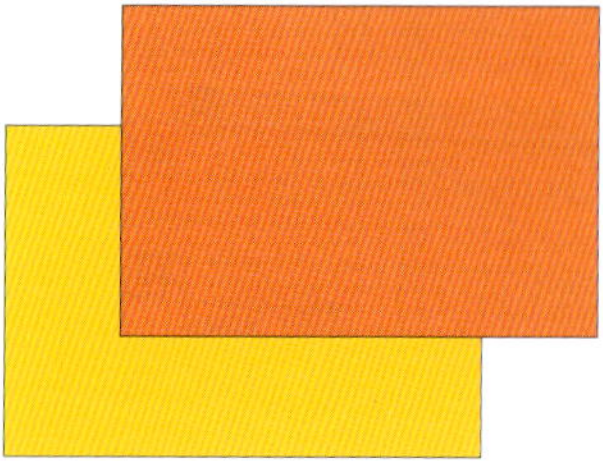

64 黄《き》朽《くち》葉《ば》

表朽葉・裏朽葉

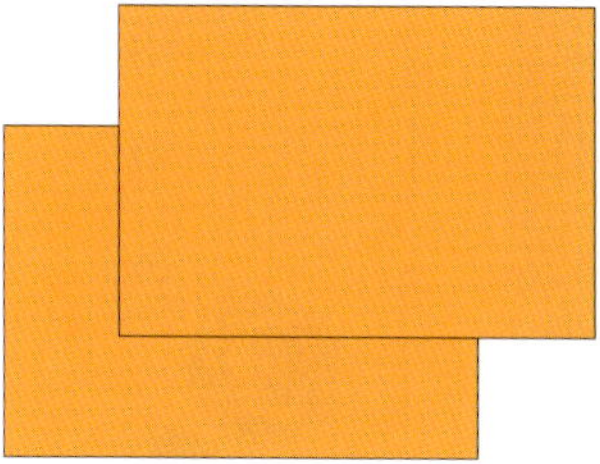

65 龍《りん》膽《どう》

表淡蘇芳・裏青

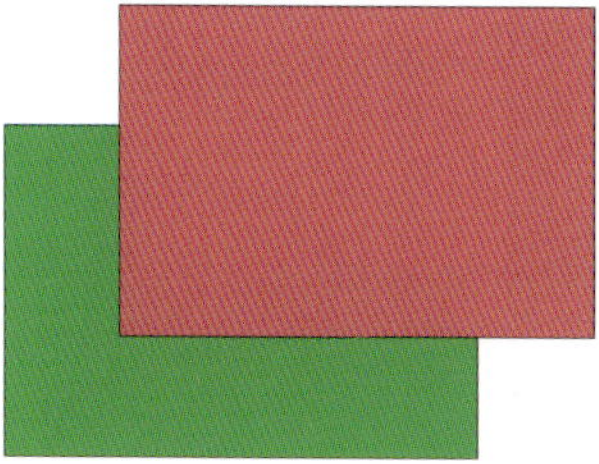

66 小《こ》栗《ぐり》色《いろ》

表秘色・裏淡青

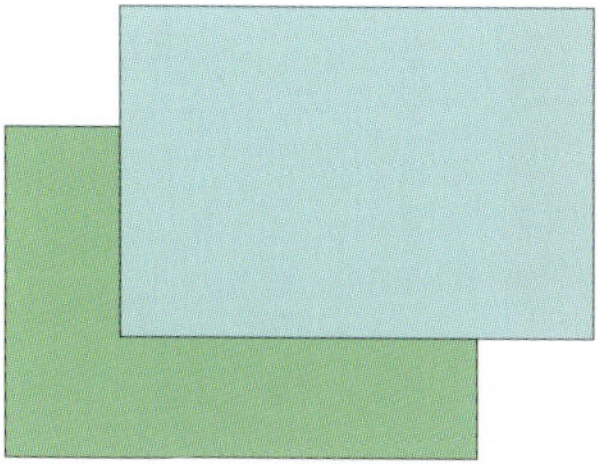

67 落《おち》栗《ぐり》色《いろ》

表蘇芳黒味深シ・裏香

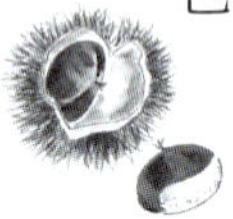

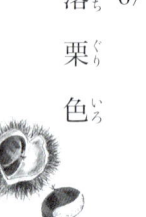

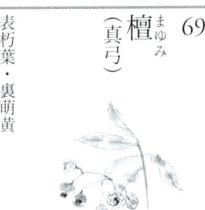

68 荻《おぎ》

表蘇芳・裏青

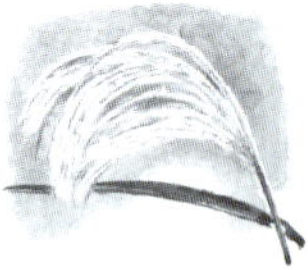

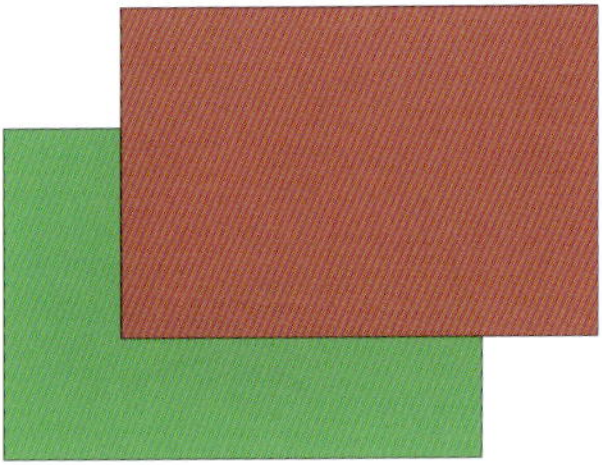

69 檀《まゆみ》（真弓）

表朽葉・裏萌黄

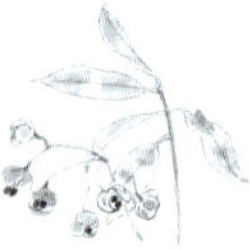

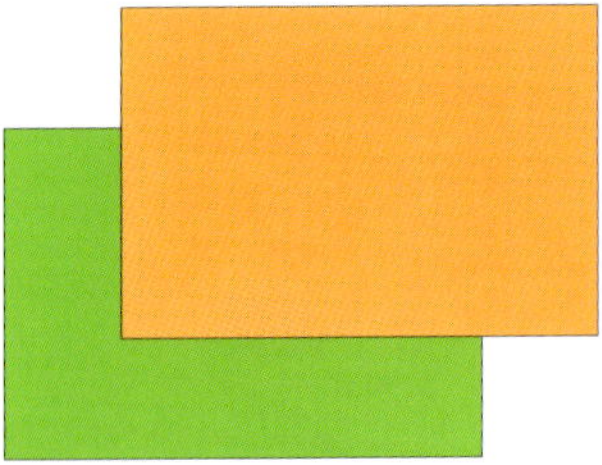

70 朝《あさ》顔《がお》（牽牛子）

表縹・裏縹

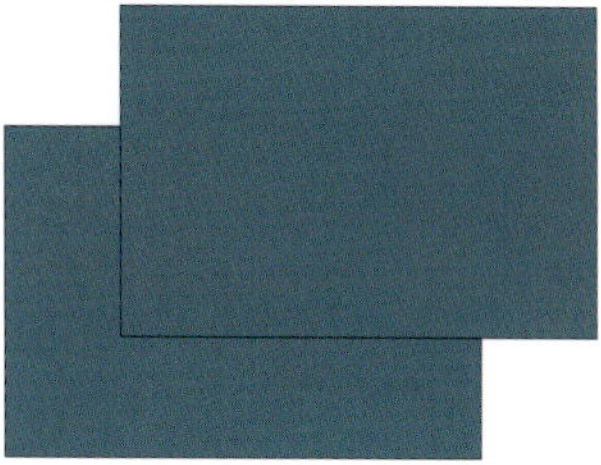

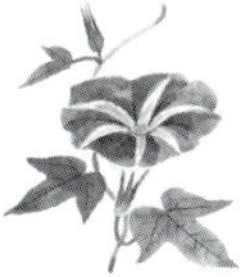

71 忍《しのぶ》

表淡萌黄黄気アリ・裏蘇芳

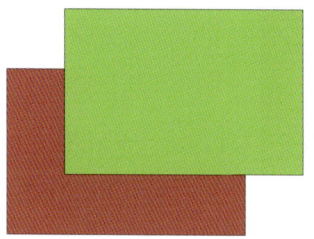

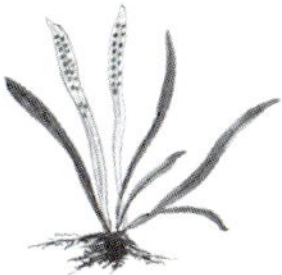

72 紫《し》苑《おん》

表紫・裏蘇芳

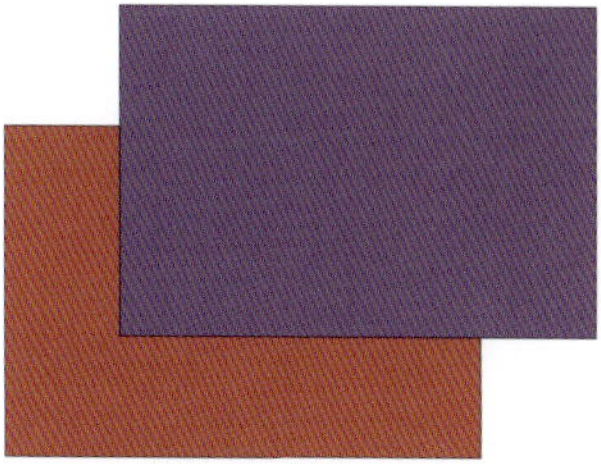

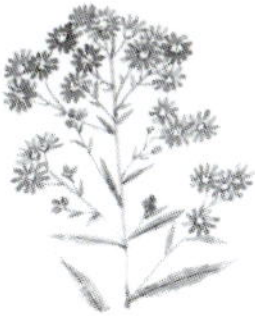

73
桔《き》梗《きょう》

表二藍・裏濃青

74
藤《ふじ》袴《ばかま》

表紫・裏紫

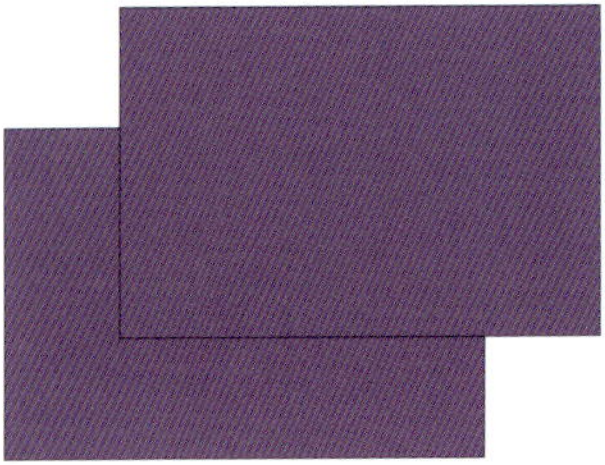

75
鴨頭草《つきくさ》（月草）

表縹・裏淡縹

76 梶《かじ》（楮）

表萌黄・裏濃萌黄

77 櫨《はじ》

表朽葉・裏黄

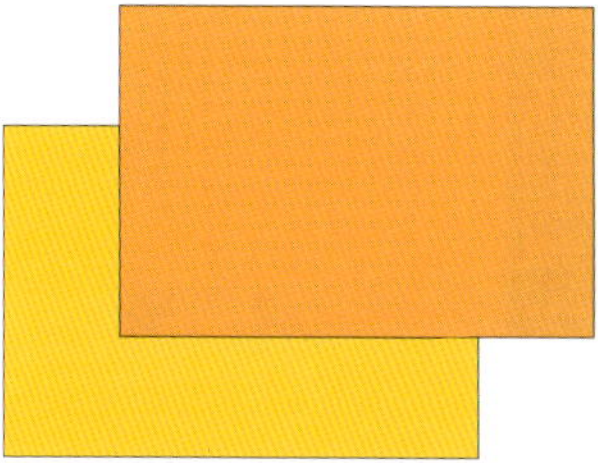

78 紅葉《もみじ》

表赤色・裏濃赤色

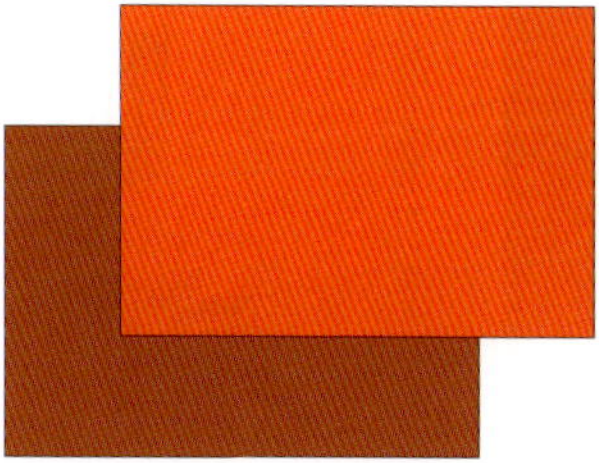

79

黄紅葉《きもみじ》

表黄・裏濃黄

80

青紅葉《あおもみじ》

表青・裏朽葉

81

櫨紅葉《はじもみじ》

表蘇芳黒味アリ・裏黄

82 楓《かえで》紅葉《もみじ》（蝦手紅葉）

表淡青・裏朽葉

83 初《はつ》紅葉《もみじ》

表萌黄・裏淡萌黄

84 白《しら》菊《ぎく》

表白・裏萌黄

85 移《うつろい》菊《ぎく》

表紫・裏黄

86 莟《つぼみ》菊《ぎく》

表紅・裏黄

87 紅《くれない》菊《ぎく》

表紅・裏青

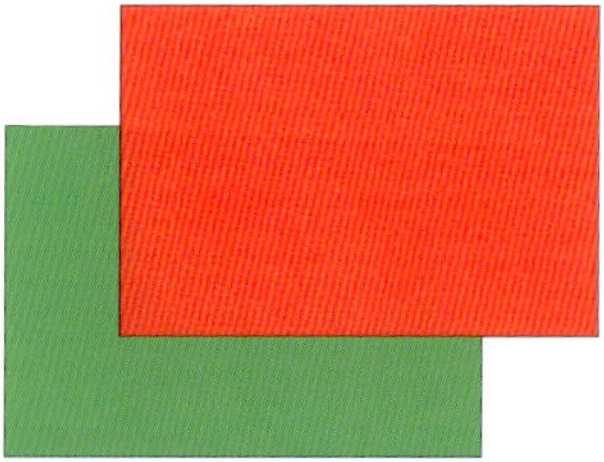

88 蘇《す》芳《おう》菊《ぎく》

表白・裏濃蘇芳

89 残《のこり》菊《ぎく》

表黄・裏白

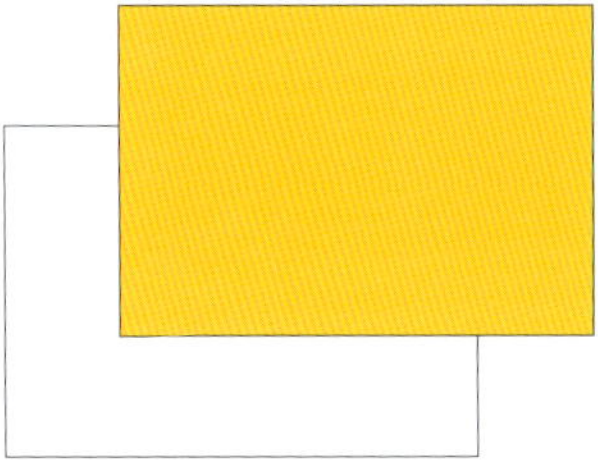

90 葉《は》菊《ぎく》

表白・裏紺青

91 九《く》月《がつ》菊《ぎく》

表白・裏黄

92 菊《きく》重《がさね》

表白・裏淡紫

93 花《はな》菊《ぎく》

表淡蘇芳・裏濃蘇芳

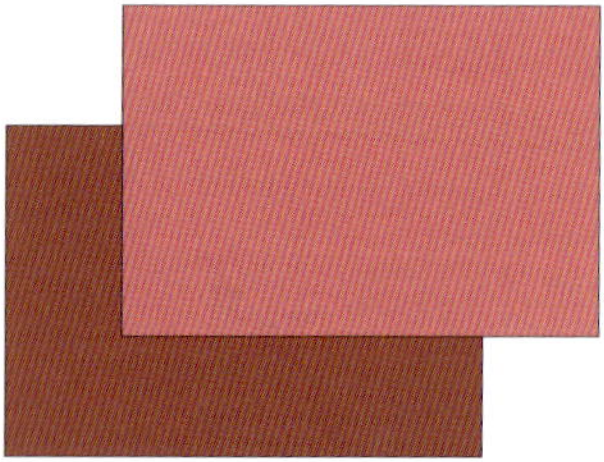

94

虫《むし》襖《あお》（虫青）

表青黒味アリ・裏二藍

【冬】

95

枯《かれ》色《いろ》

表淡香・裏青

96

枯《かれ》野《の》

表黄・裏淡青

97 氷《こおり》

表白・裏白

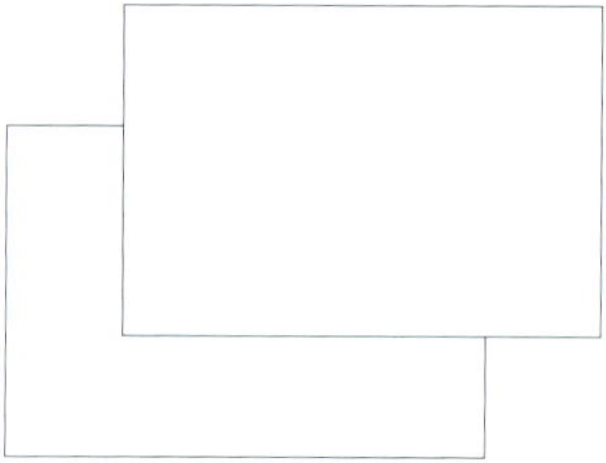

98 氷重《こおりがさね》

表鳥ノ子色・裏白

99 雪《ゆき》の下《した》

表白・裏紅梅

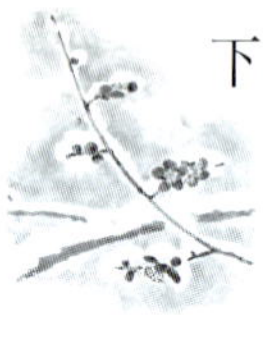

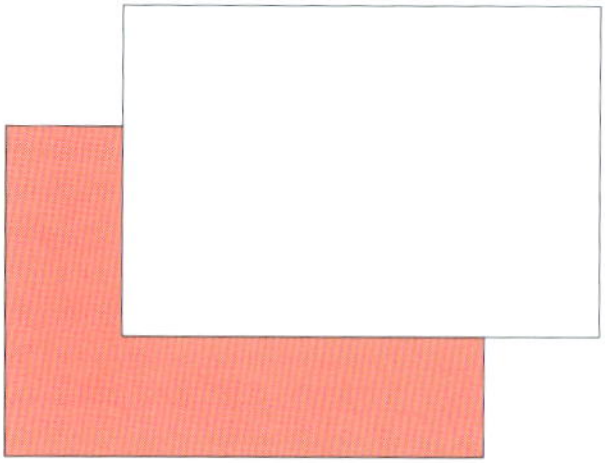

椿《つばき》 100

表蘇芳・裏赤

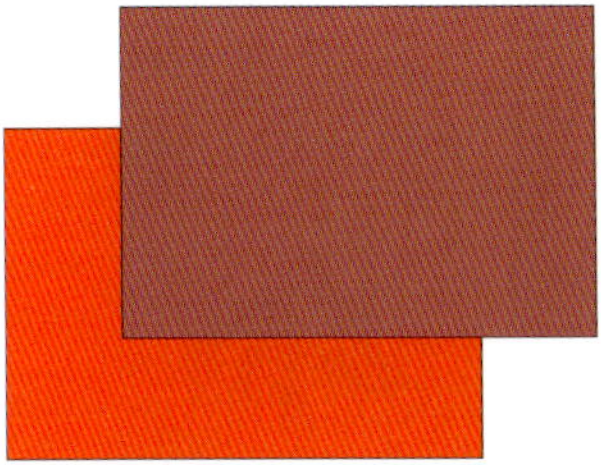

【四季通用】

松《まつ》重《がさね》 101

表青・裏紫

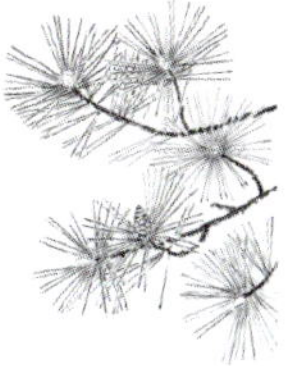

比《ひ》金《ごん》襖《あお》 102

（比金青）

表青黄気アリ・裏二藍

103 脂《し》燭《そく》色《いろ》

表紫・裏紅

104 今《いま》様《よう》色《いろ》

表紅梅・裏濃紅梅

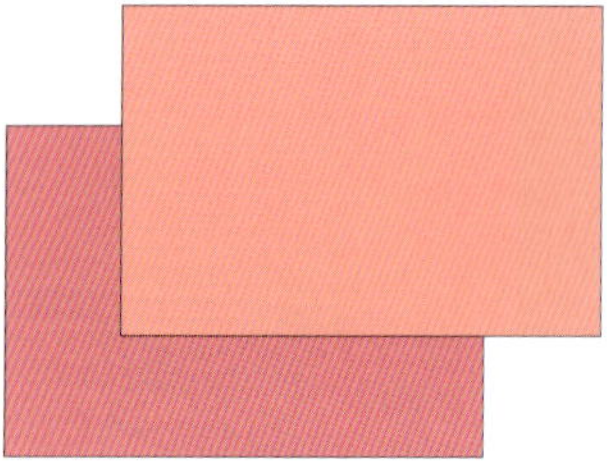

105 葛《くず》

表青黒気アリ・裏淡青

その他のビジュアル文庫シリーズはこちらからご覧いただけます。

ビジュアル文庫

青幻舎のHPでは出版物のほか、関連イベント情報をご覧いただけます。

青幻舎HP

青幻舎
ビジュアル文庫シリーズ

色彩・染色・工芸・絵画・イラスト――
日本の優れた伝統文化、芸術を
文庫版に収録した好評のシリーズ

2022.11

ご購入のご案内

[ご注文について]

お近くの書店やネット書店へご注文いただくか、もしくは青幻舎オンラインショップをご利用ください。小社へ直接電話にてご注文いただくことも可能です。

[送料について]

青幻舎オンラインショップ、または電話にて小社へ直接ご注文いただく場合、全国一律660円(税込)となります。ただし、ご注文品の定価合計が5,500円以上の場合は、送料無料とさせていただきます。
電話にてご注文いただく場合、お支払い方法は代金引換のみとなります。

● お電話でのご注文:075-252-6766
● 青幻舎オンラインショップからのご注文
https://shop.seigensha.com

青幻舎オンラインショップ

万一、ご購入いただいた書籍に乱丁、落丁がありました場合は、小社宛に着払いにてお送りください。送料小社負担にてお取替えさせていただきます。

株式会社 青幻舎
www.seigensha.com
京都市中京区梅忠町9-1 TEL:075-252-6766 FAX:075-252-6770
東京都千代田区神田錦町3-14-3 TEL:03-6262-3420 FAX:03-6262-3423

人気ランキング

1

配色事典

大正〜昭和初期のモダンな色づかい348パターンを収録。

和田三造 著
352頁/定価1,650円

2

昭和ちびっこ怪奇画報

70年代、子どもたちを熱狂させたオカルトカルチャーを凝縮!

初見健一 著
268頁/定価1,320円

3

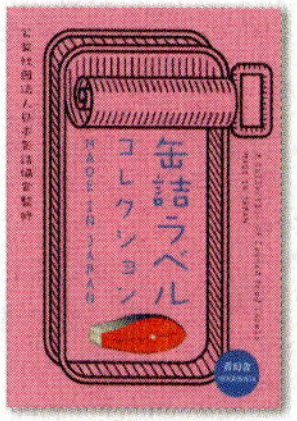

缶詰ラベルコレクション

明治から昭和の缶詰ラベル約550点を収録。

公益財団法人日本缶詰協会 監修
352頁/定価1,650円

浮世絵

暁斎絵本

画狂人・河鍋暁斎の知られざる魅力が凝縮した「絵本」より傑出の200余点を収録。

日野原健司 著
太田記念美術館 監修
288頁／定価 1,760 円

怖い浮世絵

背筋が凍る。有名絵師の腕冴えわたる「恐怖の名作」約100選。

日野原健司／渡邉 晃 著
296頁／定価 1,650 円

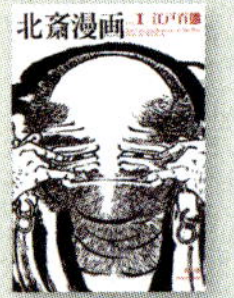

北斎漫画　第一巻

『北斎漫画』（全15編）を文庫サイズに再編集する全三巻のシリーズ。

葛飾北斎 著
352頁／定価 1,650 円

妖怪萬画　第一巻

なぜ、妖怪が、かくも愛嬌たっぷりに描かれたのか？妖怪画のなぞを解く。

和田京子 著
288頁／定価 1,650 円

商業デザイン

昭和ちびっこ広告手帳

昭和40年代の児童向け雑誌に掲載された広告ページを収録。

おおこしたかのぶ 他 編
288頁／定価 1,320 円

昭和ちびっこ未来画報

昭和の子どもたちが空想した、懐かしの21世紀像。

初見健一 著
272頁／定価 1,320 円

新装復刻版
現代図案文字大集成

昭和のベストセラー図案文字集、新装復刻！

辻克己 著
336頁／定価 1,650 円

新装復刻版
変体英文字図案集

60年代に考案された楽しく、美しい英字の世界。

大沼知之 著
276頁／定価 1,650 円

新装改訂復刻版
実用手描文字

図案家たちが生み出した、描き文字500点以上を収録！

姉崎正広 著
256頁／定価 1,320 円

日本のポスター

明治から昭和初期のポスターデザイン229点を収録。

並木誠士／和田積希 著
288頁／定価 1,650 円

色彩

新版 日本の伝統色

新版 日本の伝統色

染料・古染法・色調などを収載、和洋色名対照一覧表・参考文献・英名・巻末色見本付。

長崎盛輝 著
328頁／定価 1,650 円

配色事典 応用編

さまざまなシーンで役立つ！古き良き日本の配色集、待望の続刊。

和田三造 著
336頁／定価 1,650 円

和の文様

新版 日本の文様①

伝統の繍技の解説と併せて新しい表現を探る、必携の図案集。

紅会 著
256頁／定価 1,320 円

日本の家紋

多種多様なモチーフから編み出された日本の「家紋」全4560種を網羅した決定版。

青人社 企画・構成
319頁／定価 1,320 円

染と織の文様

江戸から大正にかけての着物文様250点を集成、日本の染織文化の粋を色鮮やかに繰り広げます。

城一夫 解説
256頁／定価 1,320 円

近代図案帖

キモノや浴衣、インテリアなどへ向けた昭和の図案約240点収録。

並木誠士 ほか 著
288頁／定価 1,650 円

陶芸

古伊万里入門

伊万里の誕生から爛熟期まで。文庫サイズの決定版、遂に登場。

佐賀県立九州陶磁文化館 監修
256頁／定価 1,320 円

小皿・手塩皿図鑑

文様別に900余点を収録。手のひらに広がる、古伊万里の優美な世界。

大橋康二 著
312頁／定価 1,650 円

その他

新装版　標本の本

一般公開されていない地下収蔵室のさまざまな標本を豊富な写真とわかりやすい解説で紹介。

村松美賀子／伊藤存 著
280頁／定価 1,650 円

宮廷画家ルドゥーテとバラの物語

気品あふれるバラの美しさを文庫で堪能！

中村美砂子 著
304頁／定価 1,650 円

料金受取人払郵便

中京局
承認
2273

（切手不要）

差出有効期間
2023年6月15日まで

〒604-8790

888

〈受取人〉
京都市中京区梅忠町9-1

株式会社
青幻舎
行

お名前（フリガナ）	性別	年齢
	男・女・回答しない	歳
ご住所　〒		
E-mail	ご職業	

青幻舎からの
新刊・イベント情報を
希望しますか？

□する　□しない

読者アンケートは、弊社HPでも
承っております。

最新情報・すべての刊行書籍は、
弊社HPでご覧いただけます。

青幻舎　検索

https://www.seigensha.com

読者アンケート

ご記入いただいた個人情報は、所定の目的以外には使用いたしません。
〈プライバシーポリシー〉https://www.seigensha.com/privacy

お買い上げの書名 | ご購入書店

本書をご購入いただいたきっかけをお聞かせください。

☐ 著者のファン　☐ 店頭で見て
☐ 書評や紹介記事を見て（媒体名　　　　　　　　　　　　　　　　）
☐ 広告を見て（媒体名　　　　　　　　　　　　　　　　）
☐ 弊社からの案内を見て（HP・メルマガ・Twitter・Instagram・Facebook）
☐ その他（　　　　　　　　　　　　　　　　　　　　）

本書についてのご感想、関心をお持ちのテーマや注目の作家、弊社へのご意見・ご要望がございましたらお聞かせください。

お客様のご感想をHPや広告など本のPRに、匿名で活用させていただいてもよろしいでしょうか。
☐はい　☐いいえ

ご協力ありがとうございました。

アンケートにご協力いただいた方の中から毎月抽選で5名様に景品を差し上げます。当選者の発表は景品の発送をもってかえさせていただきます。
詳細はこちら https://www.seigensha.com/campaign

106
苦《にが》色《いろ》
表香黒味アリ・裏二藍

107
海松色《みるいろ》
表萌黄・裏縹

108
檜皮色《ひはだいろ》
表蘇芳・裏二藍

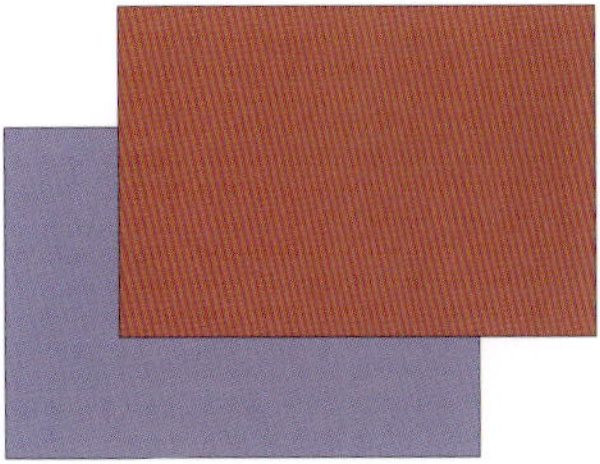

109 葡《えび》萄《ぞめ》

表蘇芳・裏縹

110 蘇《す》芳《おうの》香《こう》

表蘇芳・裏黄

111 二《ふた》つ色《いろ》

表薄色・裏山吹色

112 胡桃色《くるみいろ》

表香・裏青

113 秘色《ひそく》

表瑠璃色・裏薄色

114 木賊《とくさ》

表萌黄・裏白

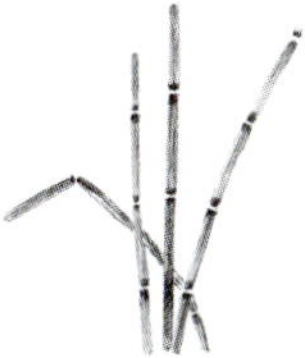

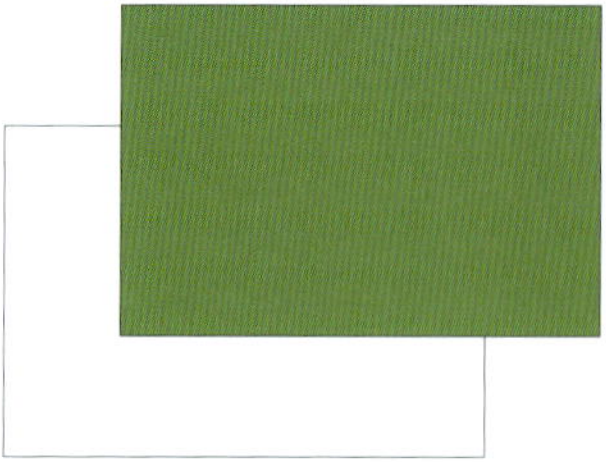

黒《くろ》木賊《とくさ》 115

表青黒味アリ・裏白

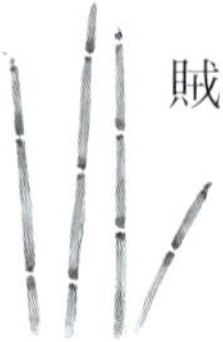

青《あお》丹《に》 116

表青濃気アリ・裏青淡気アリ

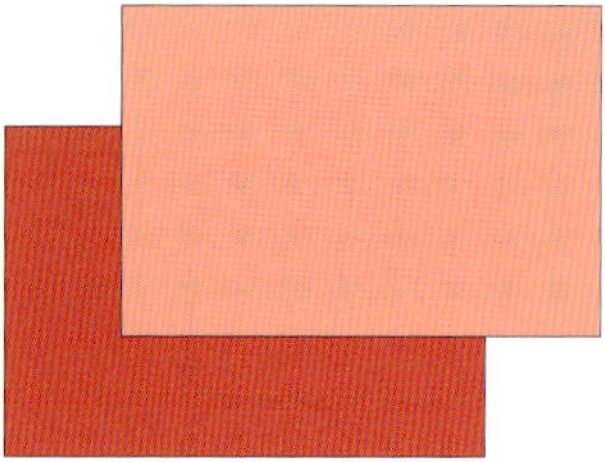

紅匂《くれないのにおい》 117

表紅淡シ・裏紅濃シ

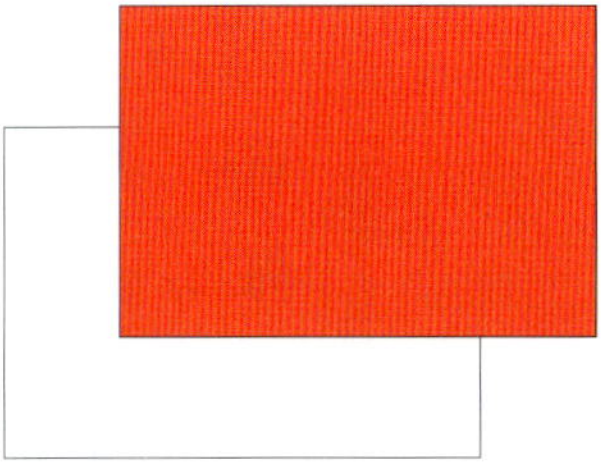

118 紅薄様《くれないのうすよう》

表紅・裏白

119 青《あお》鈍《にび》

表濃縹・裏濃縹

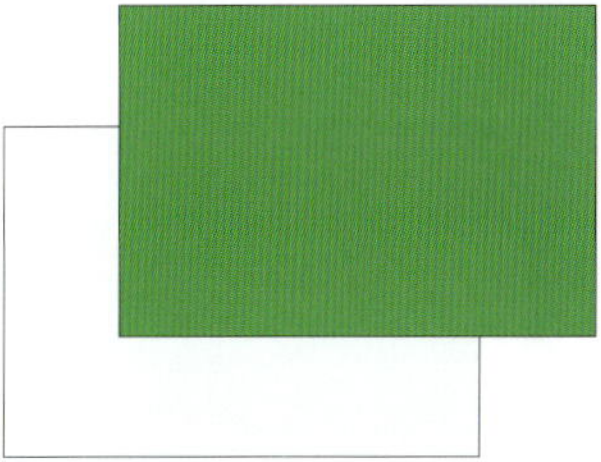

120 苦《く》丹《たに》色《いろ》

（小《こ》たに色）

表青・裏白

『薄様色目』

中倍配合の三重がさね六例

【春】

1 一《ひと》重《え》梅《うめ》

表白・中倍淡紅・裏蘇芳

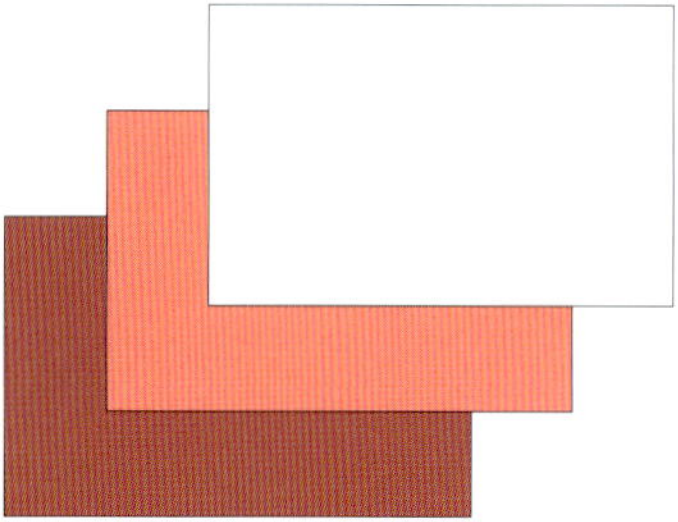

2 桃《もも》

表淡紅・中倍白・裏萌黄

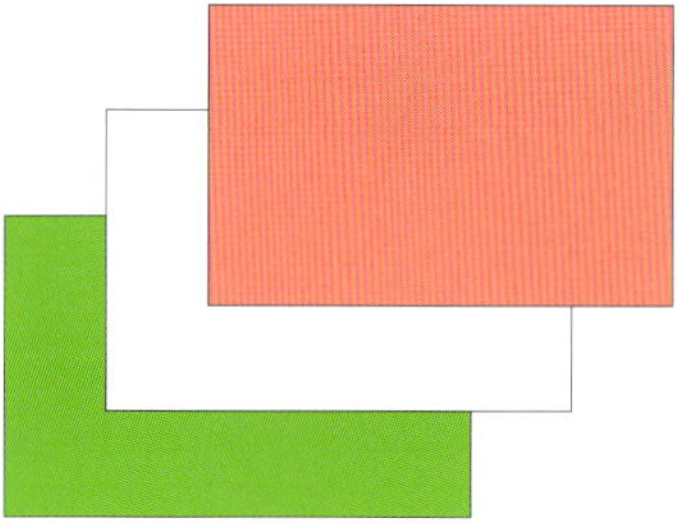

【夏】

3 若《わか》菖《しょう》蒲《ぶ》

表青・中倍濃青・裏淡青

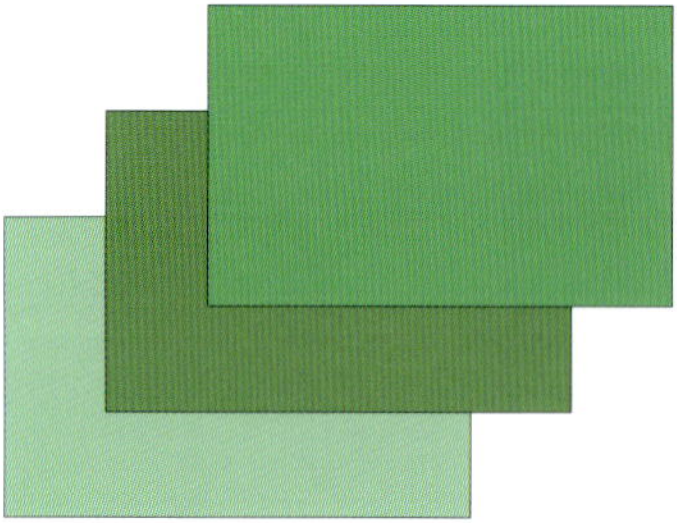

【秋】

4 女郎花《おみなえし》

表黄・中倍淡黄・裏萌黄

5 移《うつろい》菊《ぎく》

表紅・中倍紫・裏青

【四季通用】

6 比《ひ》金《ごん》襖《あお》

表黄・中倍青・裏二藍

『満佐須計装束抄』

女房装束の色。
春夏秋冬のいろいろ。祝にきるいろいろ。

1 蘇芳《すおう》の匂《におい》

上は淡くて。下ざまにこく匂いて。
青きひとへ。

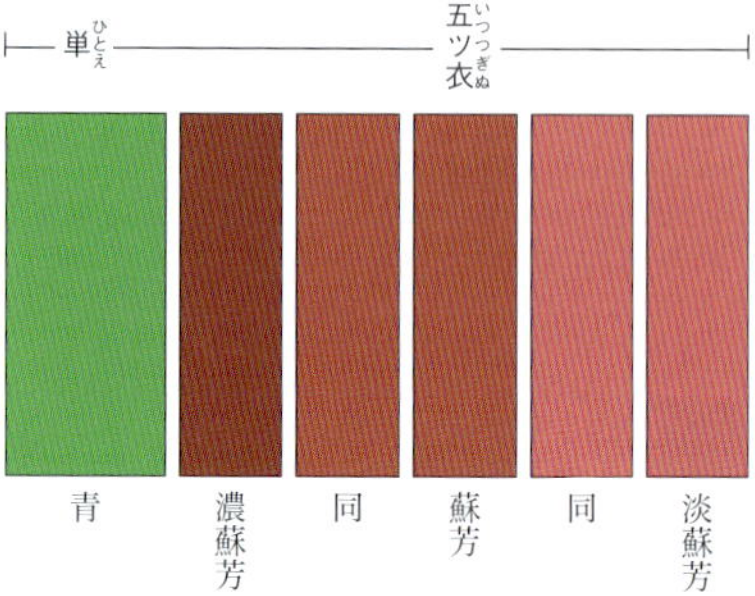

2 松《まつ》 重《がさね》

上二つ蘇芳のこきうすき。
萌黄の匂いたる三。
紅のひとへ。

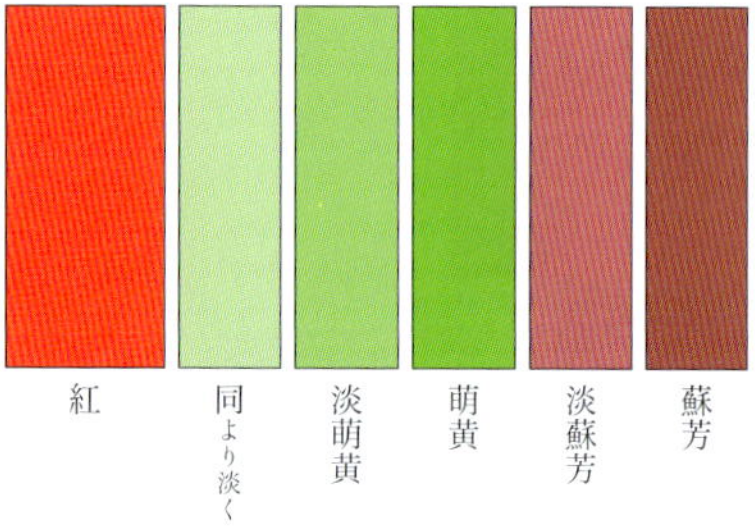

3 紅《くれない》の匂《におい》

上紅匂いて。下へ淡く
匂いて。紅梅のひとへ。

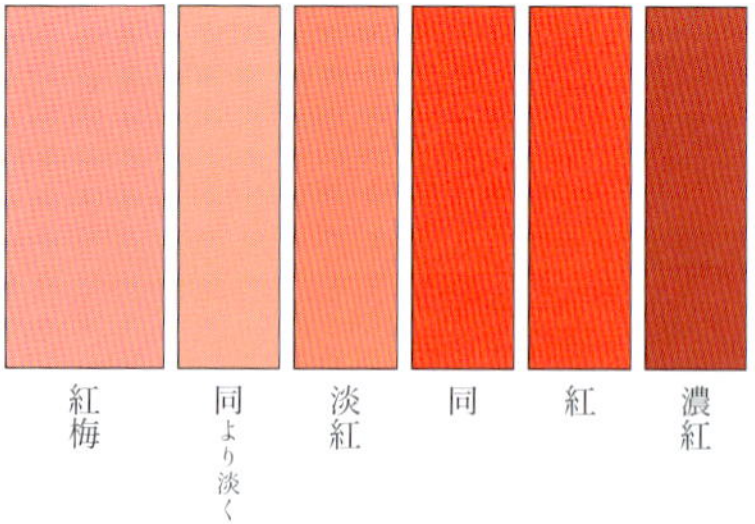

4　紅《くれない》の薄様《うすよう》

紅匂いて三。白き二。
白きひとへ。

紅　淡紅　同より淡く　白　同　同

5　紅梅《こうばい》の匂《におい》

上は淡くて。下へ濃くて。
青きひとへ。

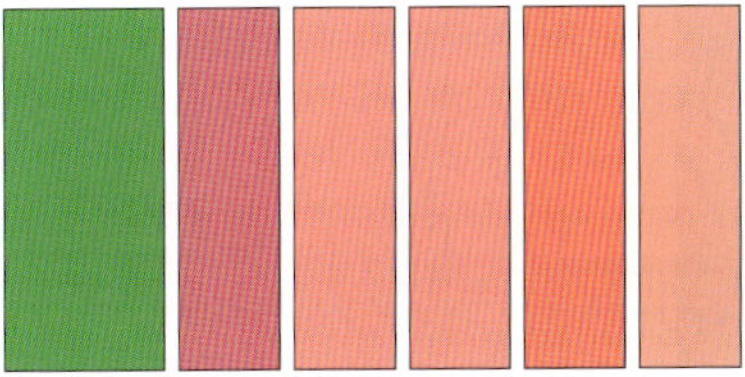

淡紅梅より淡く　淡紅梅　紅梅　同　濃紅梅　青

6　萌黄《もえぎ》の匂《におい》

上は淡くて。下へ濃く匂
いて。紅のひとへ。

淡萌黄より淡く　淡萌黄　萌黄　同　濃萌黄　紅

十月一日より練衣わたいれてきる
菊の様々

7 黄《き》菊《ぎく》（か）

表蘇芳の匂。淡きなる二。青きか。濃き淡き紅のひとへ。

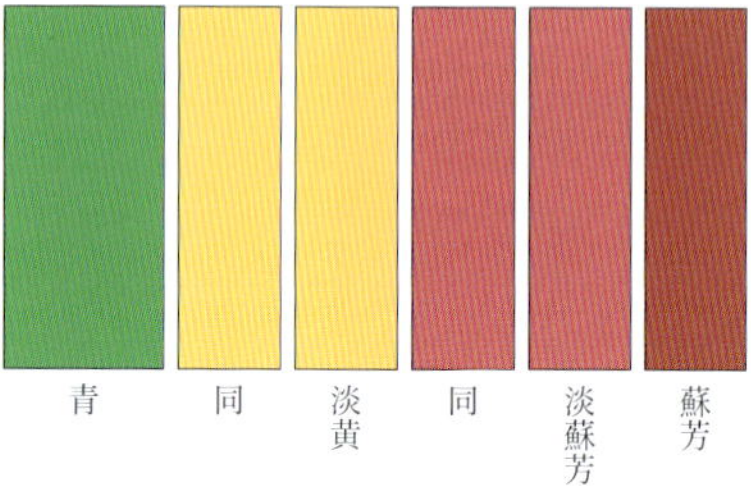

紅葉の様々

8 紅紅葉《くれないもみじ》

紅。山吹。黄なる。青き。濃き淡き。紅のひとへ。

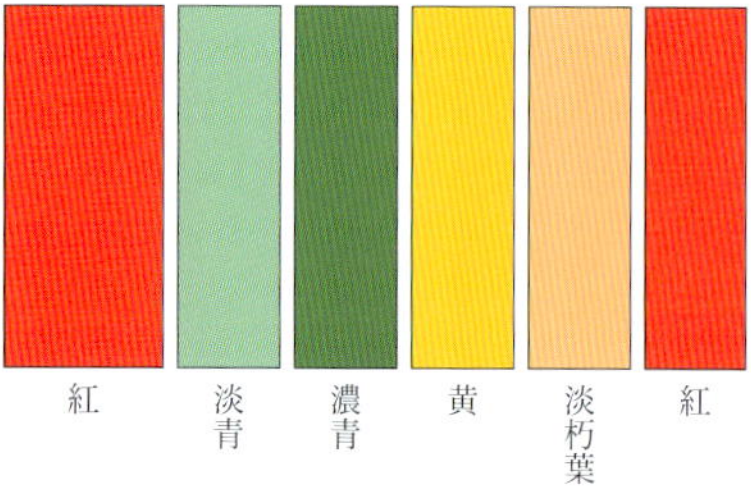

9 櫨紅葉《はじもみじ》

黄なる二。やまぶき。（黄なるは一つにて山吹を匂わかす）紅。蘇芳。紅のひとへ。

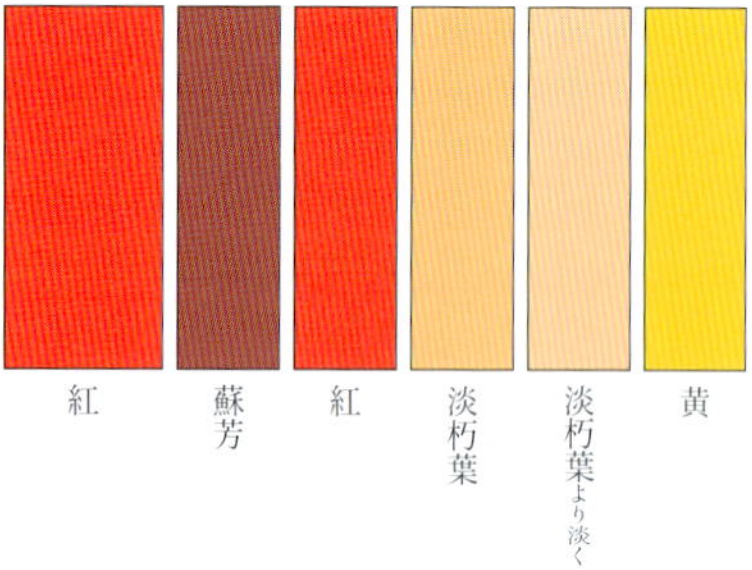

10 青紅葉《あおもみじ》

青き濃き淡き。黄なる。
山吹。紅。蘇芳のひとへ。

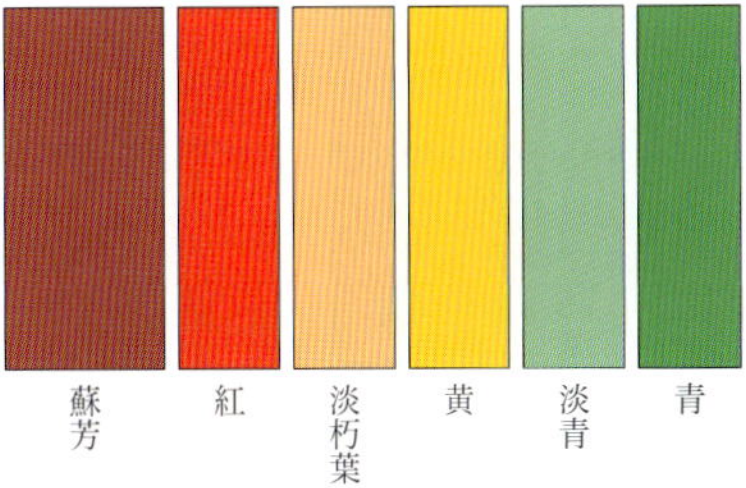

11 楓紅葉《かえでもみじ》（蝦手紅葉）

淡青二。黄なる。山吹・紅。
紅のひとへにても。
蘇芳のひとへにても。

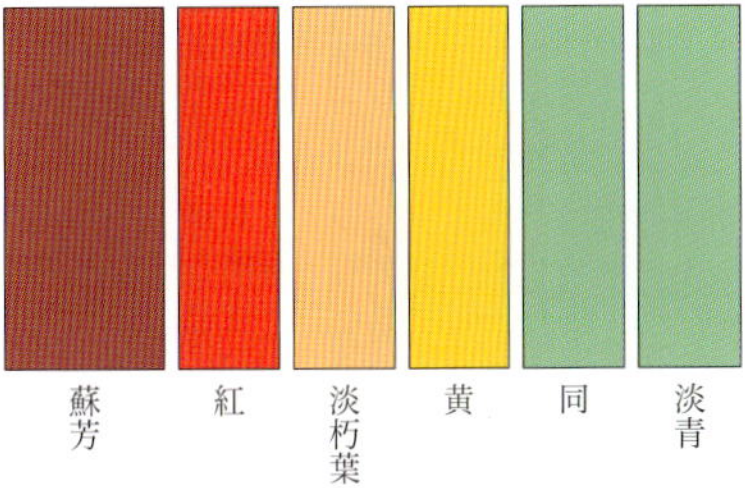

12 捩《もじ》り紅葉《もみじ》

青き濃き淡き二。黄なる。
山吹。紅。紅のひとへ。

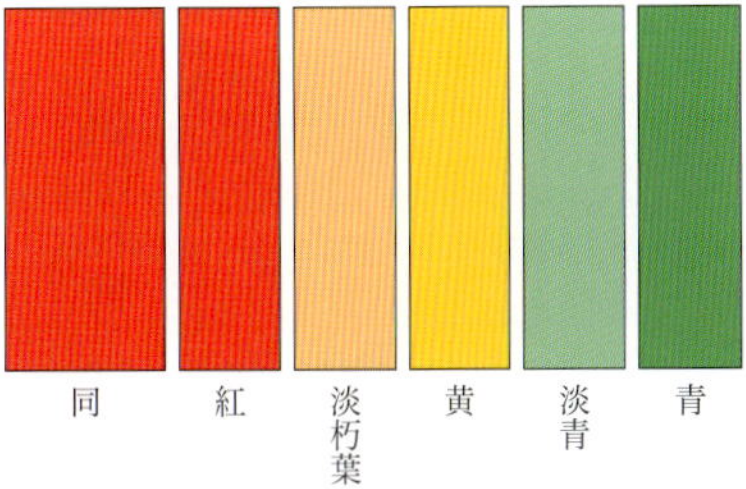

13 紫《むらさき》の匂《におい》

上濃き紫より下へ淡く匂いて。紅のひとへ。

濃紫　紫　同　淡紫　同より淡く　紅

14 紫《むらさき》の薄様《うすよう》

上より下へ淡くて三。しろき二。白きひとへ。

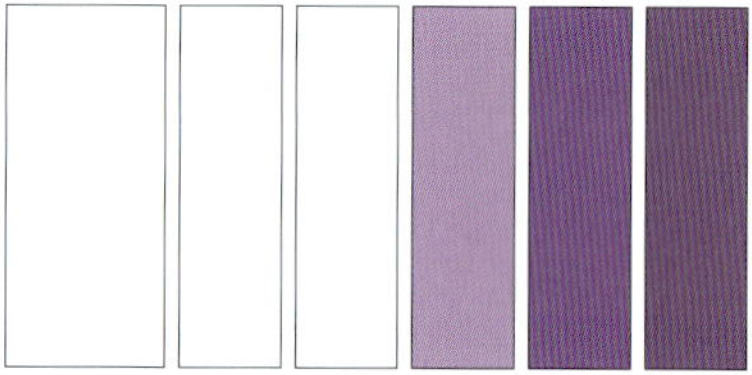

紫　淡紫　同より淡く　白　同　同

15 裏陪紅梅《うらまさりこうばい》

表淡くて裏まさりて青きひとへ。

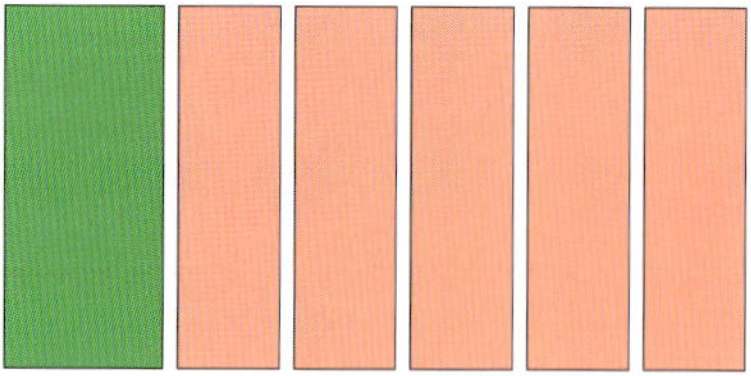

淡紅梅　同　同　同　同　青

16 山吹《やまぶき》の匂《におい》

上濃くて下へ黄なるまで匂いて。青きひとへ。

17 裏山吹《うらやまぶき》

表皆黄なり。裏皆濃き山吹。青きひとへ。

18 花山吹《はなやまぶき》

上より下まで皆中ら色の山吹なり。青きひとへ。

19 梅《うめ》重《がさね》

上白き紅梅匂いて。紅一。濃き蘇芳。濃きひとへ。青きひとへも心心なり。

20 雪《ゆき》の下《した》

白き二。紅梅匂いて三。青きひとへ。

21 紫村濃《むらさきむらご》

紫匂いて三。青き濃き淡き二。紅のひとへ。

22 二《ふた》つ色《いろ》

薄色二。裏山吹二。萌黄二。
紅のひとへがさね。

23 色《いろ》々《いろ》

薄色一。萌黄一。紅梅一。
裏山吹一。裏濃蘇芳一。
紅のひとへ。

四月うすぎぬにきるいろ

24 菖《しょう》蒲《ぶ》

青き。濃き。淡き。白き。
紅梅。濃き淡き。
白きすずしのひとへ。

25 若菖蒲《わかしょうぶ》

表青き濃き淡き三。二つはうら白し。白表二。裏紅梅の匂い三。白きすずしのひとへ。

26 藤《ふじ》

薄色匂いて三。白表二が裏青き。濃き淡き。白きすずしのひとへ。

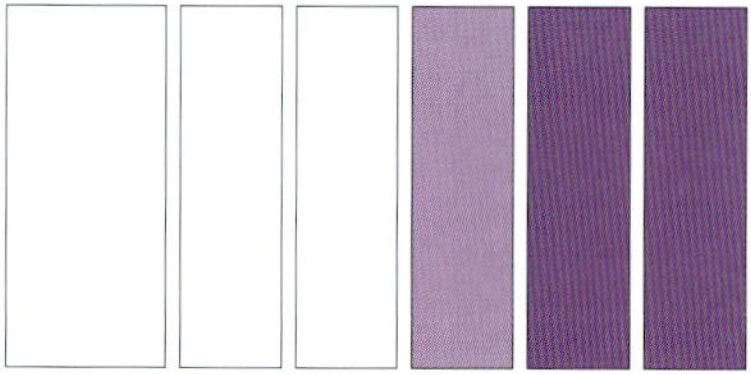

27 躑《つ》躅《つじ》

紅匂いて三。青き濃き淡き二。ひとへ白き。

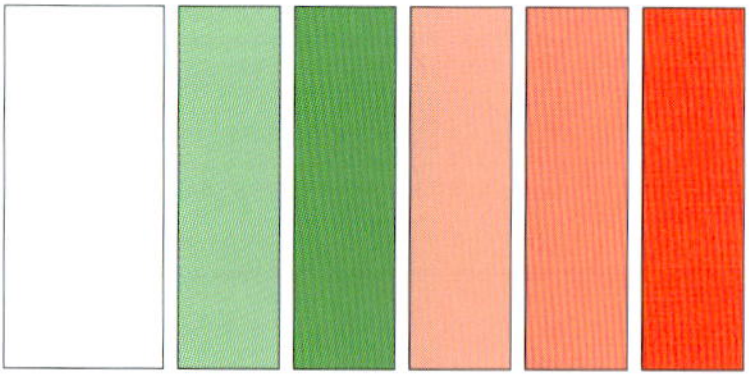

28 花《はな》橘《たちばな》

山吹濃き淡き二。白き一。青き濃き淡き。白きひとへ。

29 撫《なでし》子《こ》

表は蘇芳匂いて三。白き表二。裏蘇芳。紅。紅梅。青き濃き淡き。白きひとへ。

30 餅躑躅《もちつつじ》

蘇芳三匂いて。青き濃き淡き。白きひとへ。

31 杜若《かきつばた》

薄色匂いて三。青き濃き淡き。紅のひとへ。

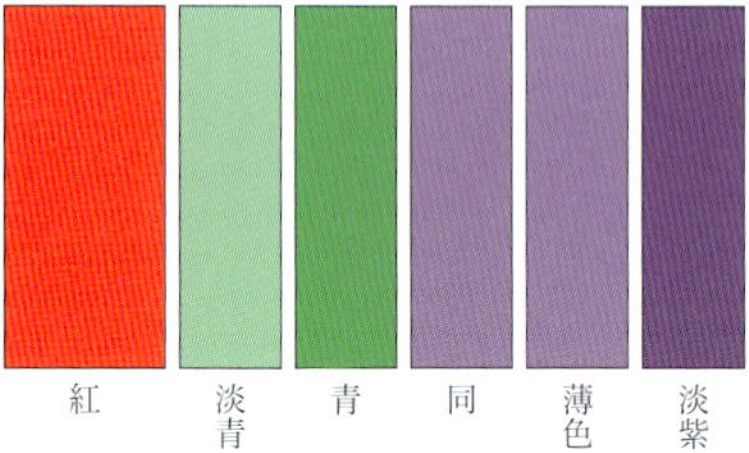

32 芒《すすき》（薄）

蘇芳の濃き淡き三。青き濃き淡き。しろきひとへ。

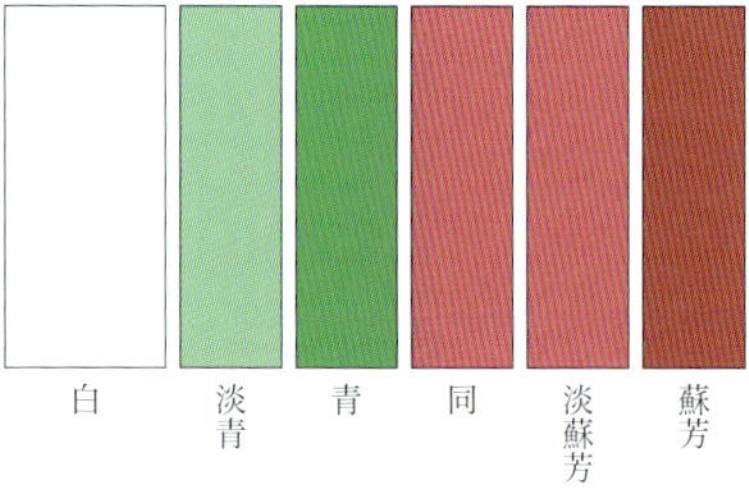

33 女郎花《おみなえし》

表女郎花。裏皆青し。紅のひとへ。

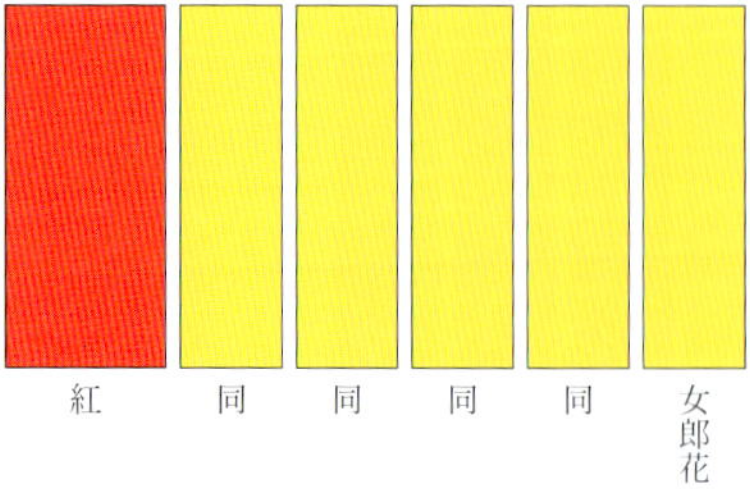

『女官飾鈔』

春冬の衣の色々

1 皆紅《みなくれない》の衣《きぬ》

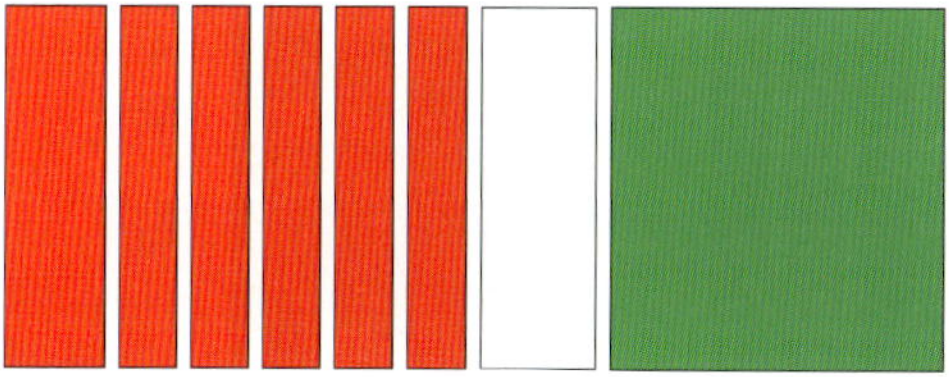

単《ひとえ》	五ツ衣《いつつぎぬ》					表着《うわぎ》	小袿《こうちき》
同	同	同	同	同	紅	白	青

2 紅匂《くれないにおい》の衣《きぬ》

単	五ツ衣					表着	小袿
紅梅	同より淡く	淡紅	同	同	紅	萌黄	赤

3 紅《くれない》の薄様《うすよう》

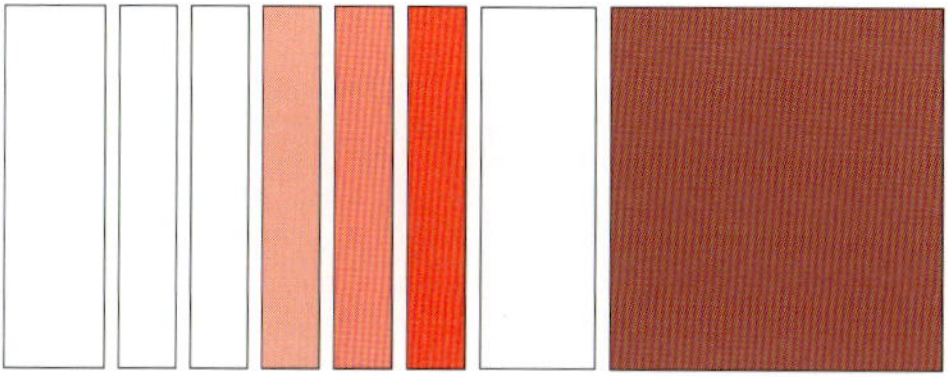

単	五ツ衣					表着	小袿
同	同	白	同より淡く	淡紅	紅	白	蘇芳

4 紫《むらさき》匂《におい》

5 紫《むらさき》の薄様《うすよう》

6 梅《うめ》の衣《きぬ》

7 莟紅梅《つぼみこうばい》

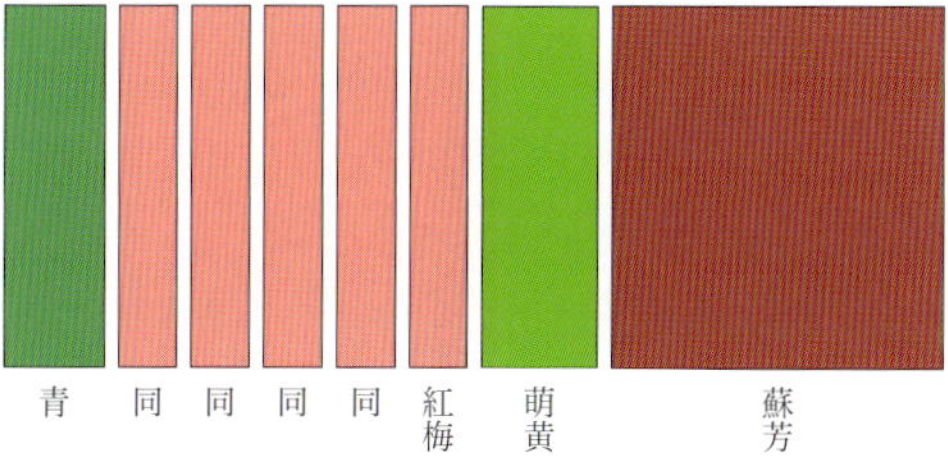

8 裏陪紅梅《うらまさりこうばい》

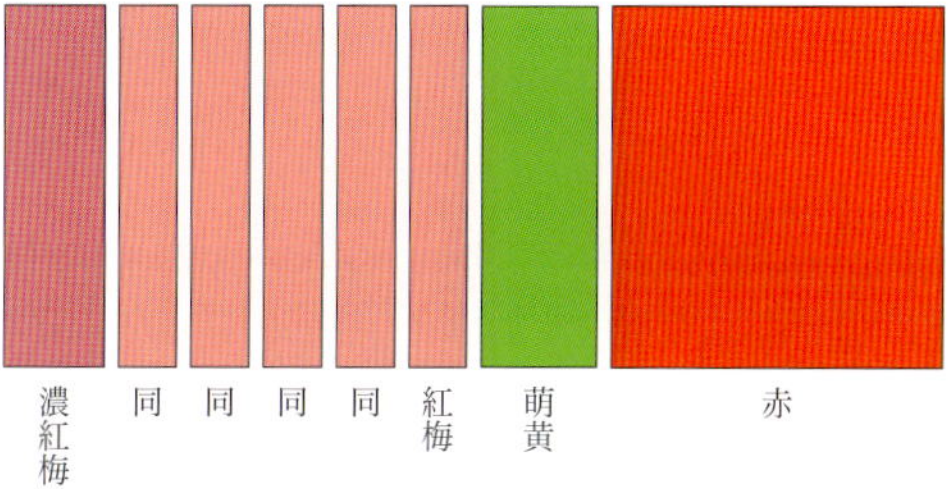

9 紅梅重《こうばいがさね》

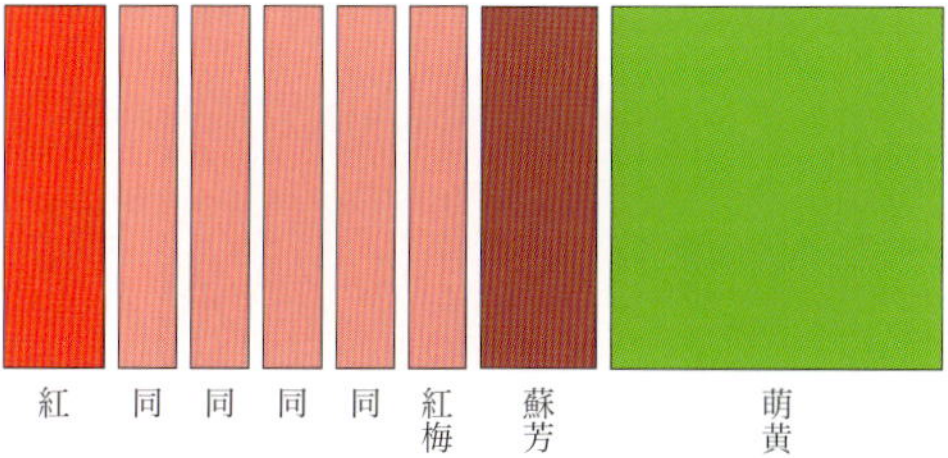

10 紅梅匂《こうばいにおい》

11 柳《やなぎ》

12 桜《さくら》重《がさね》

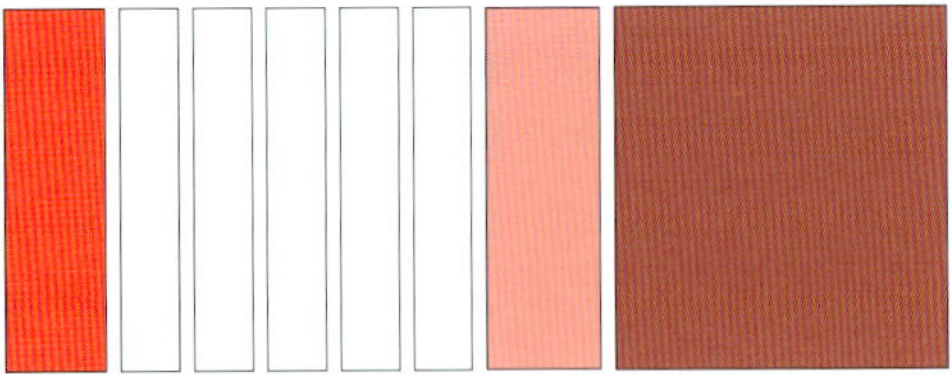

13 山吹匂《やまぶきにおい》

蘇芳　萌黄　淡朽葉　同より淡く　濃黄　黄　淡黄　青

14 花山吹《はなやまぶき》

青　黄　淡朽葉　同　同　同　同　紅

15 裏山吹《うらやまぶき》

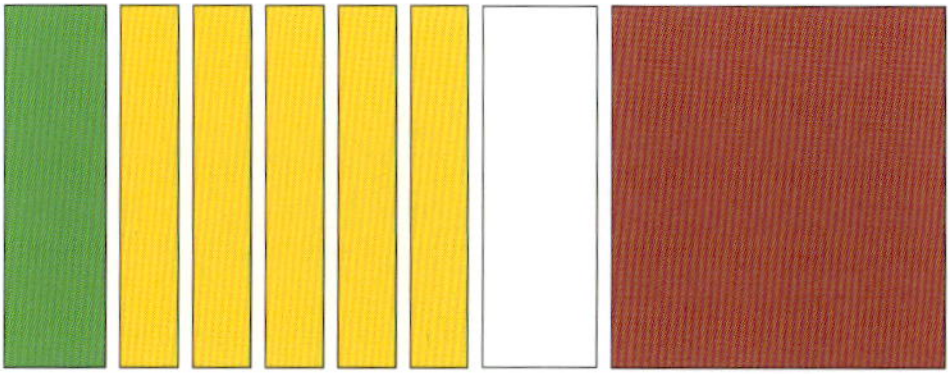

蘇芳　白　黄　同　同　同　同　青

16 紅躑躅《くれないつつじ》

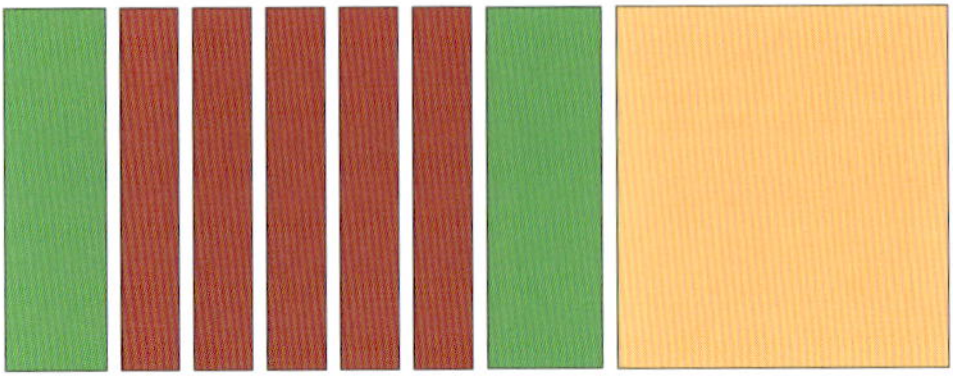

17 藤《ふじ》重《がさね》

18 色々五《いろいろいつつ》

19
松《まつ》重《がさね》

20
樺《かば》桜《ざくら》

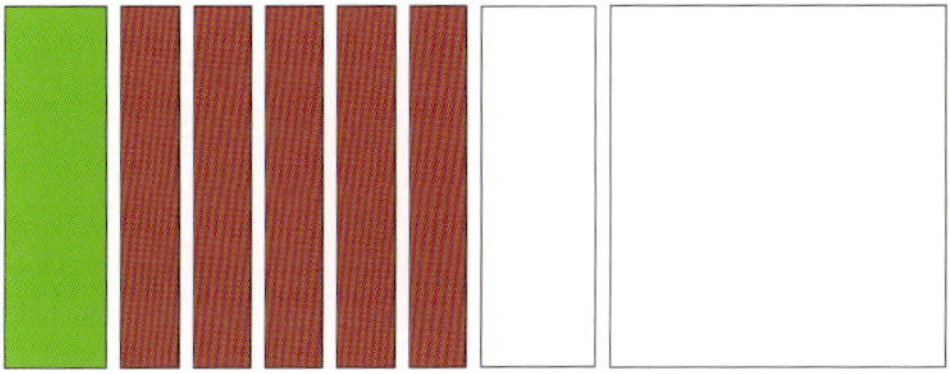

21
桜萌黄《さくらもえぎ》

五月五日より秋までの衣の色

22 菖蒲単重《あやめのひとえがさね》

単重《ひとえがさね》 ｜ 表着《うわぎ》 ｜ 小袿《こうちき》

青 ｜ 蘇芳 ｜ 二藍

23 撫子《なでしこ》の単重《ひとえがさね》

紅梅 ｜ 蘇芳 ｜ 紅

24 女郎花単重《おみなえしのひとえがさね》

経青緯黄 ｜ 紅 ｜ 赤

25 萩《はぎ》の単重《ひとえがさね》

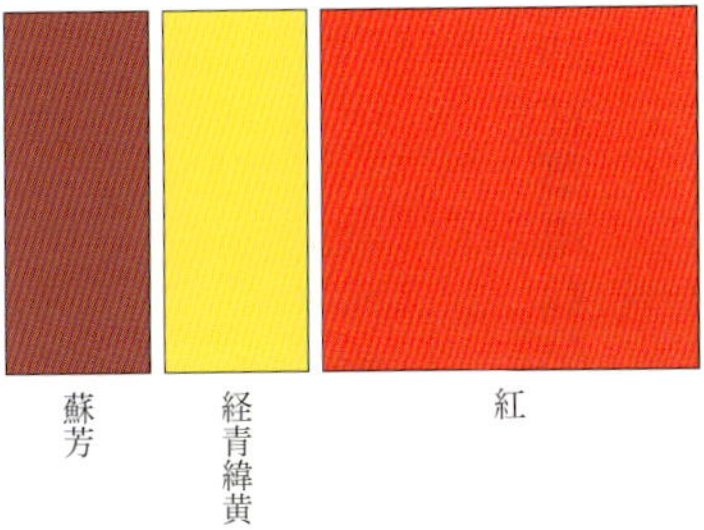

26 二藍《ふたあい》の単重《ひとえがさね》

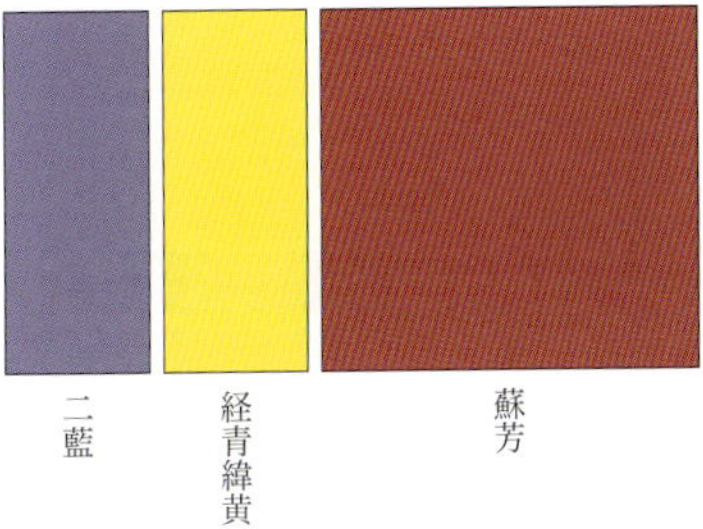

27 葡萄《えびぞめ》の単重《ひとえがさね》

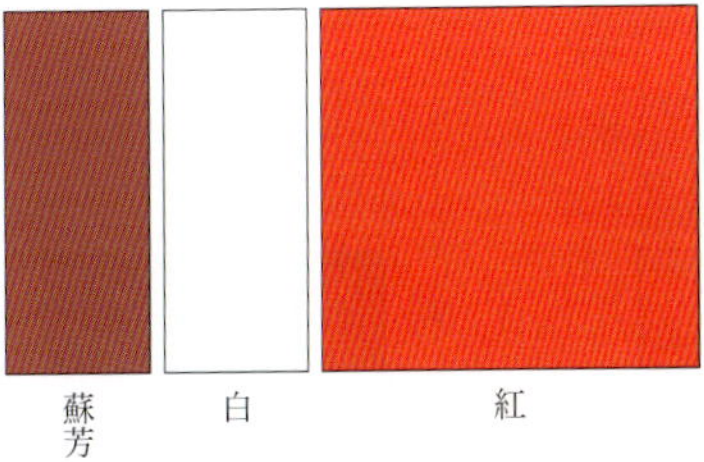

28 菊《きく》の御衣《おんぞ》八《やつ》

小袿《こうちぎ》	蘇芳
表着《うわぎ》	黄
五ツ衣《いつつぎぬ》	濃蘇芳
	蘇芳
	同
	淡蘇芳
	同
	白
	同
	同
単《ひとえ》	青

29 紅葉《もみじがさ》重ね八《やつ》

小袿《こうちぎ》	黄
表着《うわぎ》	白
五ツ衣《いつつぎぬ》	黄
	同
	同
	淡朽葉より淡く
	淡朽葉
	淡紅
	濃紅
	蘇芳
単《ひとえ》	紅

30 白菊《しらぎく》

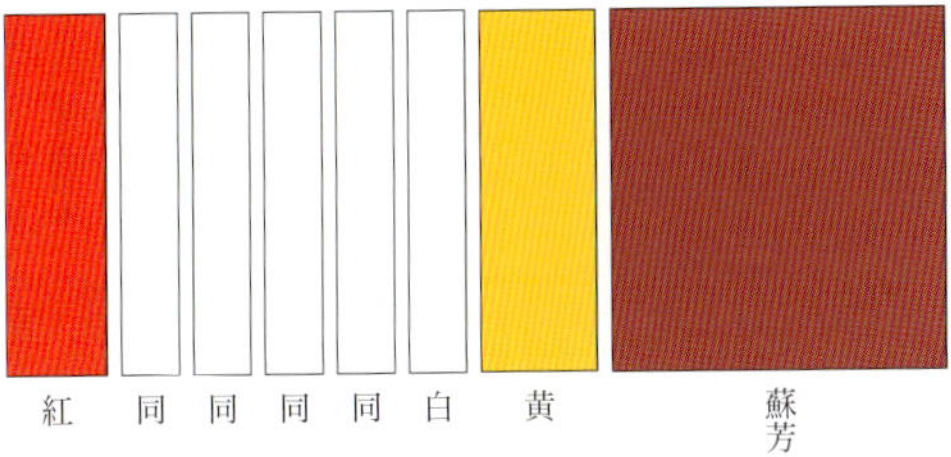

31 移菊《うつろいぎく》

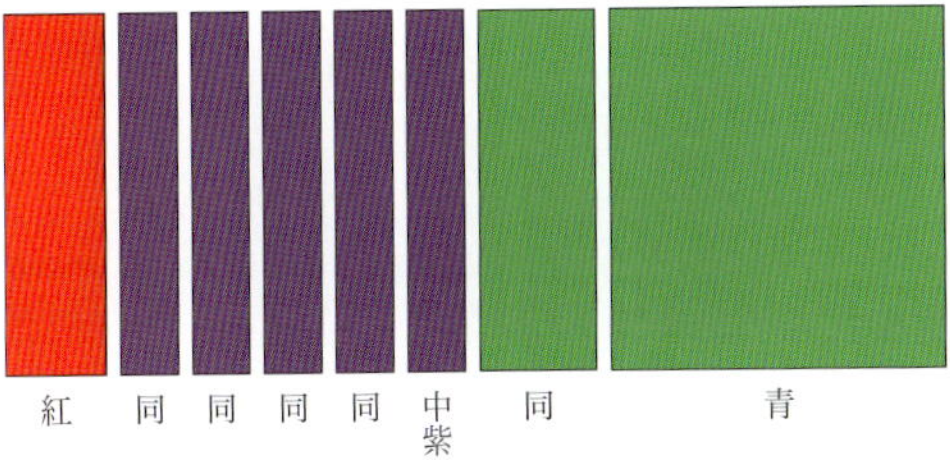

32 黄紅葉《きもみじ》

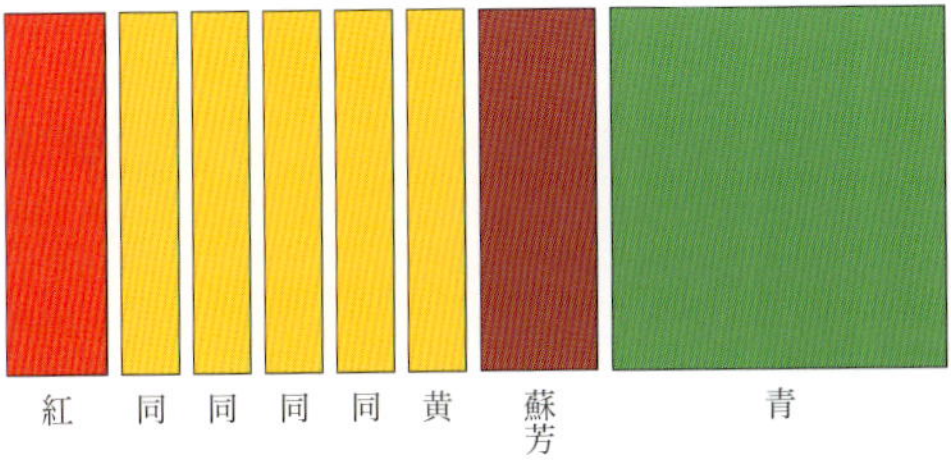

『曇華院殿装束抄』

五ツ衣単色目事

1 紅《くれない》の薄様《うすよう》

表着《うわぎ》　五ツ衣《いつつぎぬ》　単《ひとえ》

朱　同　丹　淡紅梅　白　同　同

2 紫《むらさき》の薄様《うすよう》

紫　同　淡紫　白紫にほひ　白　同　同

3 紅梅匂《こうばいにおい》

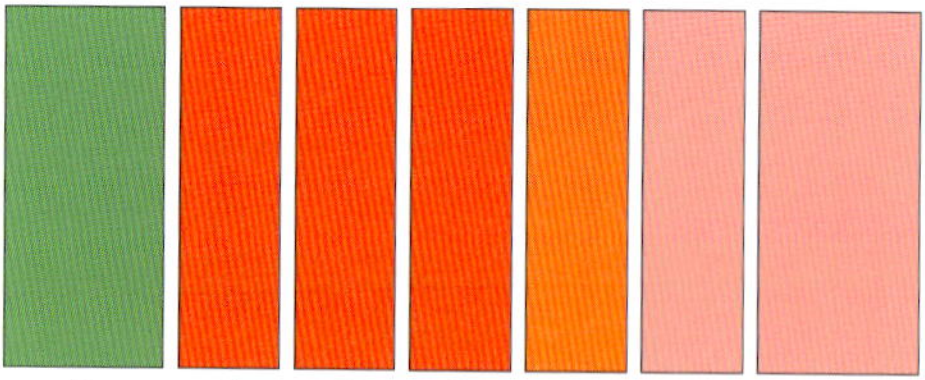

紅梅　同　丹　朱　同　同　緑青

4 萌黄匂《もえぎにおい》

草具こく青茶　同　淡青　緑青　同　同　朱

5 柳桜《やなぎざくら》は裏薄色《うらうすいろ》

白　同　同　同　同　同　朱

6 梅重《うめがさね》

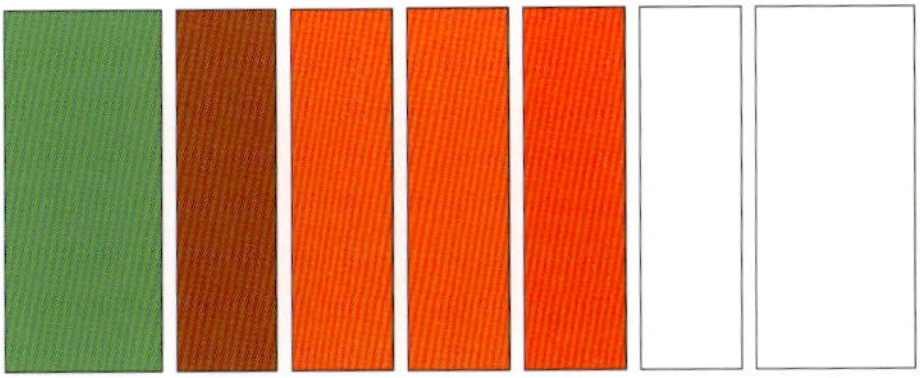

白　同　朱　同濃く　同　同極朱　緑青

7 雪《ゆき》の下《した》

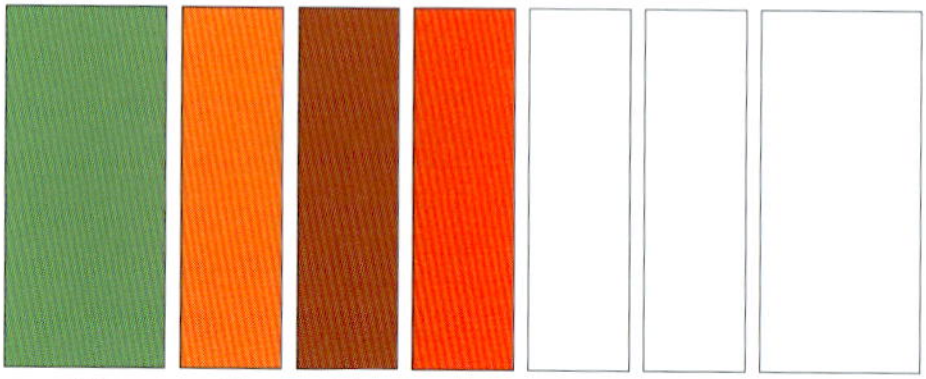

8 紅紅葉《くれないもみじ》

9 山《やま》吹《ぶき》

10 松《まつ》桜《ざくら》

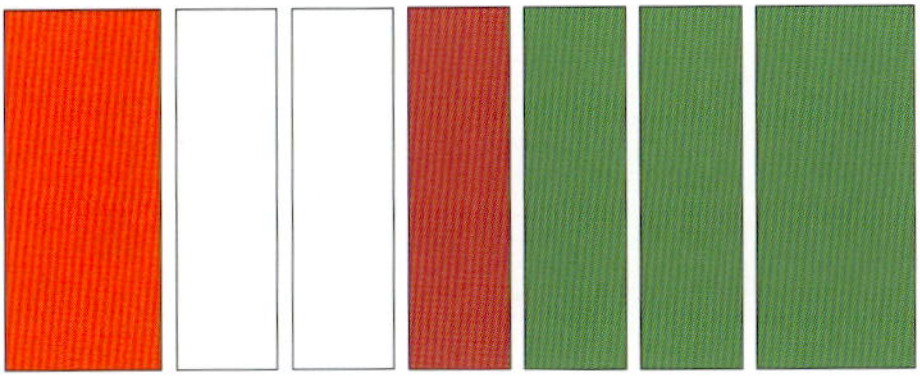

11 樺《かば》桜《ざくら》

12 龍《りん》膽《どう》

13 散紅葉《ちりもみじ》

緑青　同　同　黄　朱　同　同

14 黄櫨紅葉《きはじもみじ》

黄　同　同　丹　同　同　朱

15 楓紅葉《かえでもみじ》

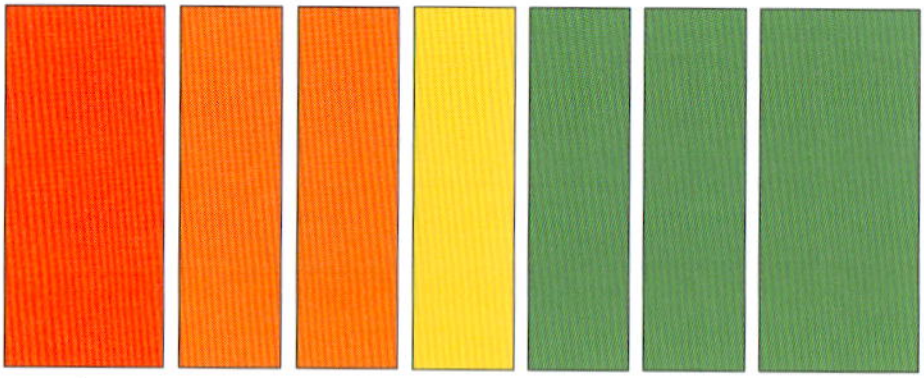

緑青　同　同　黄　丹　同　朱

16 裏《うら》菊《ぎく》

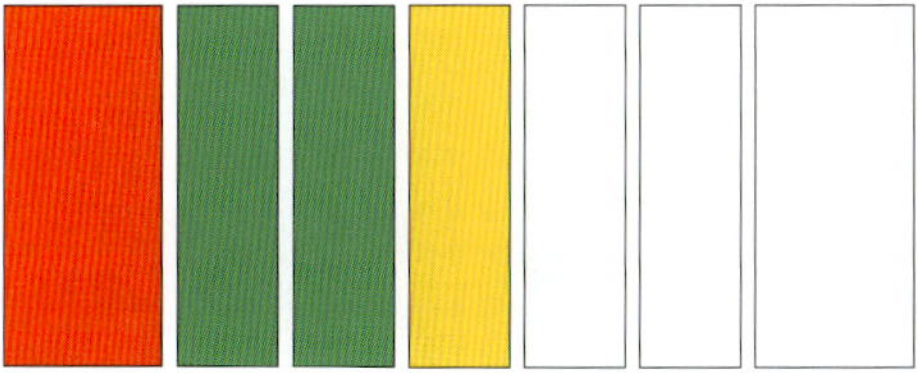

白　同　同　黄　緑青　同　朱

17 松《まつ》重《がさね》

紫具　同　同　緑青　同　同　朱

18 紫村濃《むらさきむらご》

藤色　同　同淡く　同　緑青　同　朱

19 薄絹菖蒲《うすぎぬしょうぶ》

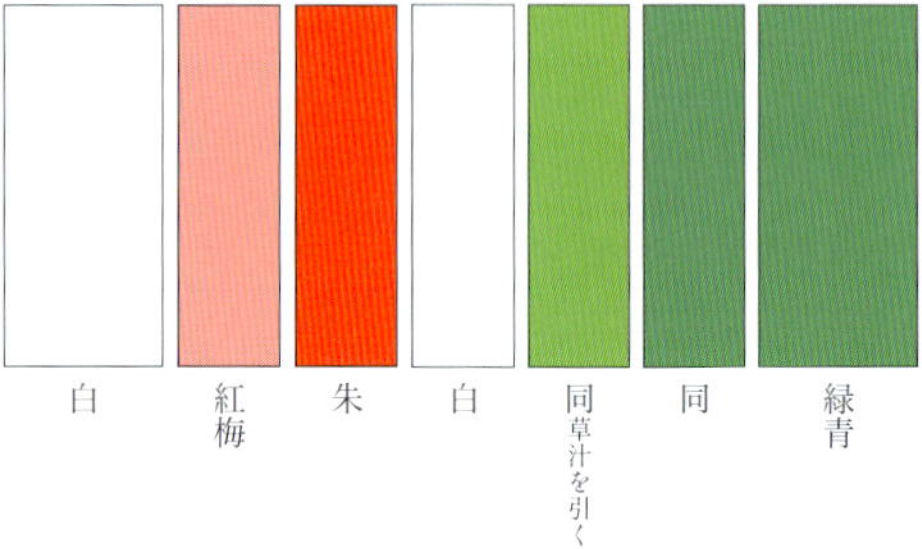

20 躑躅《つつじ》ひとえ

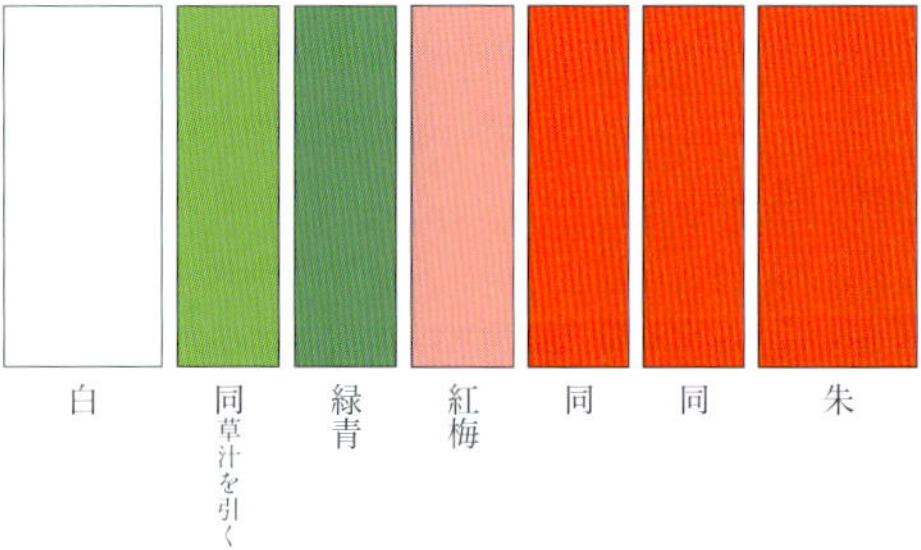

21 花《はな》 橘《たちばな》

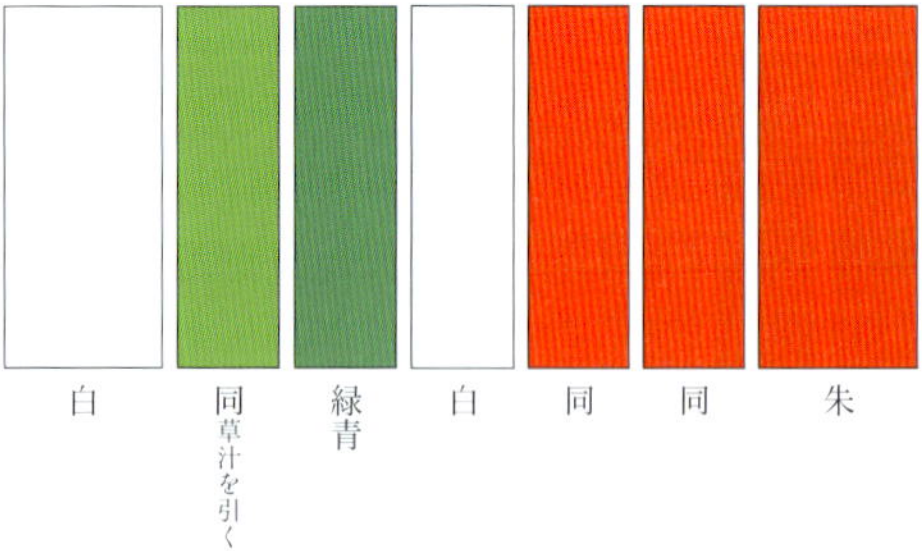

22 藤《ふじ》

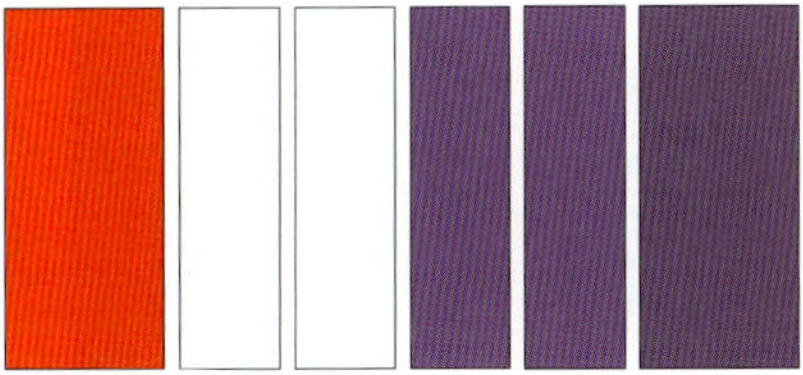

朱　同　白　同　淡紫　紫

23 六衣二色《むつぎぬふたいろ》

朱　同　緑青　同　黄　同　同　淡紫

24 六衣桜躑躅《むつぎぬさくらつつじ》

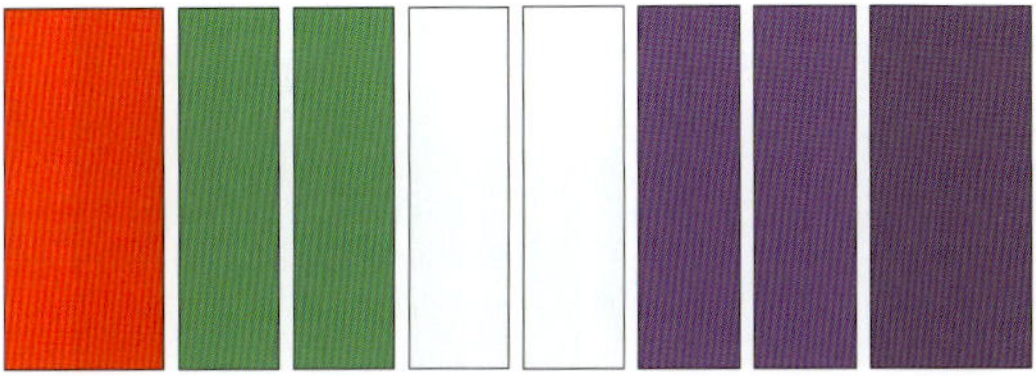

朱　同　緑青　同　白　同　淡紫　紫

25 六衣色々《むつぎぬいろいろ》

淡紫　同　同　朱　緑青　黄　朱　同

26 蘇芳匂《すおうにおい》（又菊ともいう）

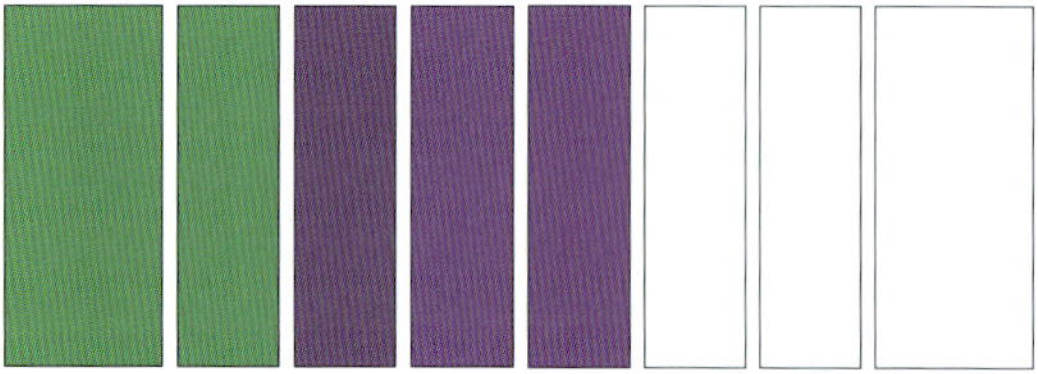

白　同　同　淡紫　同　紫　緑青　同

27 移《うつろい》菊《きく》

紫　同　淡紫　同　同　同　同　緑青

かさねの色目色譜に使用の染・織の色、全四十八色

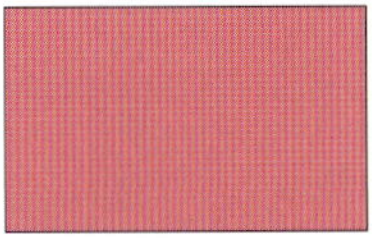

1 濃紅梅《こきこうばい》

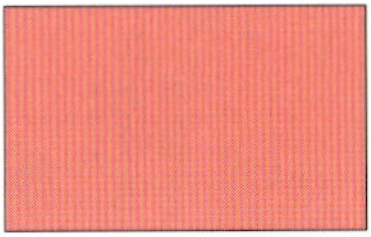

2 中紅梅《なかこうばい》

3 淡紅梅《うすこうばい》(A)

4 淡紅梅《うすこうばい》(B)

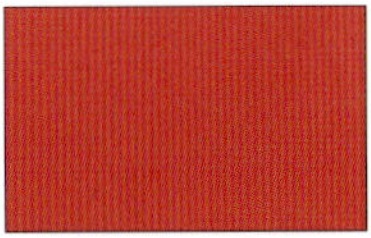

5 濃《こき》紅《くれない》

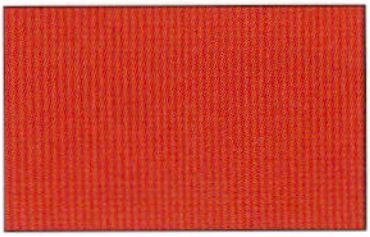

6 中《なか》紅《くれない》

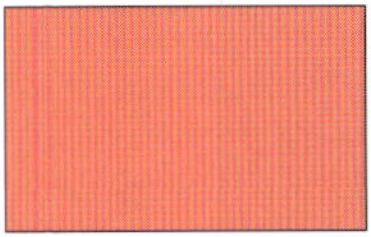

7 淡《うす》紅《くれない》(A)

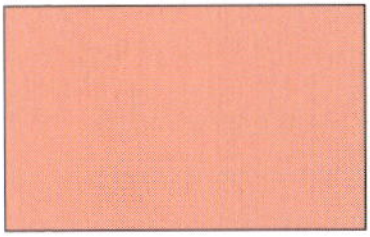

8 淡《うす》紅《くれない》(B)

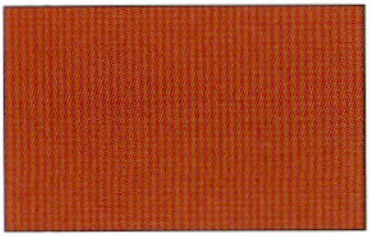

9 濃《こき》赤《あか》

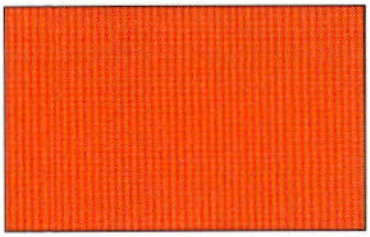

10 中《なか》赤《あか》

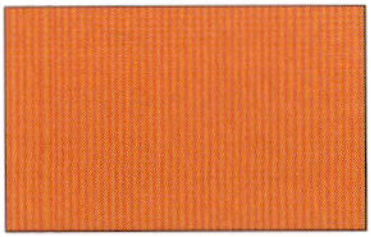

11 淡《うす》赤《あか》

経紅緯洗黄共

12 檜皮色《ひはだいろ》

13 濃《こき》 香《こう》

14 中《なか》 香《こう》

15 淡《うす》 香《こう》

16 濃朽葉《こきくちば》

17 中朽葉《なかくちば》

18 淡朽葉《うすくちば》(A)

19 淡朽葉《うすくちば》(B)

20 山吹色《やまぶきいろ》

経紅緯黄共

21 鳥《とり》ノ子《こ》色《いろ》

22 濃《こき》 黄《き》

23 中《なか》 黄《き》

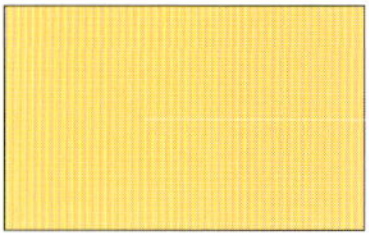

24 淡《うす》 黄《き》

25
女郎花《おみなえし》
経青緯黄共

26
濃萌黄《こきもえぎ》

27
中萌黄《なかもえぎ》

28
淡萌黄《うすもえぎ》(A)

29
淡萌黄《うすもえぎ》(B)

30
濃《こき》青《あお》

31
中《なか》青《あお》

32
淡《うす》青《あお》

33
淡木賊《うすとくさ》

34
秘《ひ》色《そく》

35
中《なか》縹《はなだ》

36
淡《うす》縹《はなだ》

37
紺《こん》青《じょう》
濃縹共

38
瑠《る》璃《り》色《いろ》

39
濃《こき》二《ふた》藍《あい》

40
中《なか》二《ふた》藍《あい》

41
濃《こき》紫《むらさき》

42
中《なか》紫《むらさき》

43
淡《うす》紫《むらさき》

44
薄《うす》色《いろ》

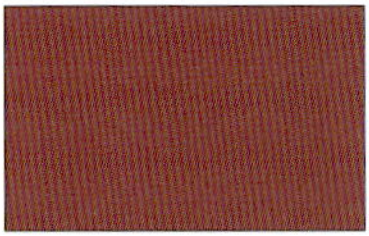

45
濃《こき》蘇《す》芳《おう》
経青緯蘇芳共

46
中《なか》蘇《す》芳《おう》

47
淡《うす》蘇《す》芳《おう》

48
白《しろ》

かさねの色目

解説

I　総　説

1　重色目と襲色目について

平安時代の服飾文化は、社会上層の貴族の文化であって、下層の庶民はそれに必要な資を提供するにすぎなかったのである。当時の貴族は政治の実務から遠ざかって奢侈遊楽の日々を送り、その身を飾る衣服には貴族の信条であった「高貴《あて》」・「雅《みやび》」にふさわしい地質・色彩が用いられ、給《あわせ》仕立の衣では、表の裂地とその大袖の裏にちらとあらわれる裏の裂地との色彩の調和にも心をくばった。この時代の衣服の色彩美は後世の小袖に見るように裂地上の模様の色によって表わされるのではなく、一枚の衣ではその表・裏の裂の重色によって表わされ、また、装束ではそれらの衣色の襲ねによって表わされたから、服装のやかましい宮廷に仕える上ではその方面のセンスと鑑識眼が必要だったのである。それは、宮廷での晴《はれ》（公）・褻《け》（平常）の装束から、平素彼等の社交心を満たすための消息用料紙（薄様《うすよう》）の色目の取扱いにまで要求された。特に宮廷の女房（女官）社会ではこの素養のないものは仲間入りが出来ないほど重要だったのである。

当時服飾に用いられた色彩には、裂を直かに染め上げた「染色《そめいろ》」と、先染《さきぞめ》の経糸と緯糸で織り上げた「織色《おりいろ》」と、もう一つは、衣の表・裏の裂を重ねて表わす「重色《かさねいろ》」（重色目）の三通りの色があり、それらにつけられた色彩名称は染・織・重の三つとも同じものや、いずれか二つが同じもの、一つだけのものがあって色名だけではそのどれを指すのかわからない。当時の物語や日記には服色のことが仔細に記されているが、それは重色を指すことが多く、時には後述の装束上の襲色を指すこともある。重と襲は共にカサネと訓むが、その用字は、「重」は衣の表と裏のカサネ、「襲」は装束上の衣のカサネに用いることを〈まえがき〉で断わっておいた。

ところで、右の染・織・重の色のあらわれ方だが、染色は平面色に、織色は混合色に、重色は重層色になり、色名は同じでも色感が異る。重ねによる配色効果は表の色が主導的にあらわれるが、それに裏の色が間接的に影響するから微妙になる。たとえば、「桜」（春）の色目は、表は白、裏は赤花（紅）でその重色は表の白が裏の紅によって暖みを帯びた白になる。この色目はもちろん桜（山桜）の花と葉の色を模したもので四季の色目を代表するものだが、中には「橘《たちばな》」（夏）表濃朽葉《こきくちば》・裏黄、のように実の色を表わしたものや、「枯野《かれの》」（冬）表黄・裏淡青、のように情景を表わしたものもある。こうした季節毎の物象の色目の衣の着用はその季に限られるが、「松重《まつがさね》」表青・裏紫、のように四季を通じて見られるものや、「葡萄《えびぞめ》」表蘇芳《すおう》・裏縹《はなだ》、のように染の色を模したものは四季通用となっている。

以上の重色目の中、その時期だけの自然物を模した色目の数は、管見では百三十種、其他の四季通用のものは六十六種である。これら多種の色目の中から、男子の下襲《したがさね》・直衣《のうし》・狩衣《かりぎぬ》や、女子の唐衣《からぎぬ》・小袿《こうちき》・袿《うちき》などの色を季・時（祝・祭）・年齢・好みなどを考え合わせてえらぶわけだから宮廷奉仕の女房にはその教養がなければ勤まらない。当時、宮廷の女性が身分の上下を問わず服色の選定に心をつかったことは、『枕草子』に中宮が「紅梅（表着《うわぎ》）には濃き衣こそをかしけれ。今は紅梅は着でもありぬべしかし。されど萌黄などにくければ、紅には合はぬなり」と仰せられた記事からも察せられる。紅梅の衣《きぬ》は十一月から翌年二月までの着用となっている。この「今」は、二月十日の今で、その表着を着るには少し時期おくれと見る説と、中宮の年齢が十九歳の今は似合わないと見る説があるが、いずれにしても、中宮が重色目の取合わせにあれこれ気を使った事は事実。この時代は服色に男女の区別はないが、どちらかといえば女性の方が男性よりも華やかな色や配色を用いた。しかし、全般的にはなやかな配色のものが多い。参考までに、末尾に色譜に掲載の色目百二十種について、その表・裏色の配色効果を大別・一覧しておいたが、これで見ると色相面では、類似色相が最も多く、トーン面ではトーン差小のものが最も多く、色譜に見るようなはなやかで和らかいものが主となっている。これは勿論一枚の袷仕立の衣に表裏の配色だから、これを幾枚も重ねる装束の襲色目の配色では、表色相互の類似と対立を考え合わせて、変化と統一の美をつくり上げることになる。本書ではその配色をはなやかに演出する女房装束を中心に見てゆくことにする。ところで、襲ね着の配色を美的に秩序だてて行うようになったのは、平安中期、藤原時代からである。その頃雑袍《ざつぽう》すなわち、直衣《のうし》の制度が定まり当位の色でなくても種々な色が用いられると共に、服飾の定めも緩くなり、宮廷奉仕の女御《にょうご》以下の女房装束の衣にえらばれる色も次第にはなやかなものになって来た。平安末期頃にはその配色法が形式化されていたと見え、『満佐須計装束抄』第三巻、女房装束の色の条に、春夏秋冬の色、祝いの色、の配色法が記されている。女房装束という名目は、後鳥羽天皇御撰の『世俗浅深秘抄』下（鎌倉時代初）、に見えるのが始めといわれているが、その装束の配色を「襲色目《かさねいろめ》」と呼ぶようになるのはもっと後のことである。その配色にも重色目に準じて植物や染色の名をつけ、中には、更に「匂い《におい》」、「薄様《うすよう》」、「村濃《むらご》」など、かさねの形容語をつけたものがある。

　女房装束の着装は、下から、白小袖（後世）の上に紅の打袴《うちはかま》をはき、その上に、単《ひとえ》・重袿《かさね（訛ってうちぎ）》（後に五領の五ツ衣《いつつぎぬ》）・打衣《うちぎぬ》・表着《うわぎ》・唐衣《からぎぬ》（略装は小袿《こうちき》）をかさね、腰には裳《も》をつける。襲色目の名称は、この中の五ツ衣の襲ね方によってつけられる。五ツ衣は本来、袿を五枚重ねることをいうが、藤原氏の全盛期には袿を十五領、二十領を襲ねたという（『栄花物語』若ばえの巻）。しかし、後に五領を基準とするようになり、これが重袿の代名詞になった。五ツ衣の襲ね方には、同色の濃淡で下部から上部へ順次濃くかさねてゆく「匂《におい》」式（例、紅梅匂《こうばいのにおい》）、匂い式の一種で下部二領を白にする「薄様《うすよう》」式（例、紫薄様《むらさきのうすよう》）、同色を五領かさねるもの（例、梅の衣）、二種類の色を濃淡でかさねるもの（例、杜若《かきつばた》）、一色を二領ずつ、三種の色で六領を重ねるもの（例、二《ふた》つ色）、五領が皆色ちがいのもの（例、色々《いろいろ》）などがあるが、その名称やかさね方は、『満』、『女』、『曇』一様ではない。この五ツ衣の配色には総体にコントラストの弱い融和的なものが多く、その部分だけを見れば単調だが、装束全体の配色は、この上にかさねる打衣、表着、唐衣又は小袿と、下にかさねる単とその下にはく打袴とのコントラストによって華やかなものになっている。なお、女房装束にあらわれる色は、最上部の唐衣、又は小袿が最も広く、次いで、表着と最下部の単、その下の袴が広く、中心の五ツ衣の部分は色票、襟・袖口・裾まわしの部分にあらわれる程度であるが、配色上ではこれが全体に変化と統一感をもたらす重要な役割を演じるのである。

以上、重・襲の両色目について概説したが、この色目が自然を手本としてその色を模したものであること、また、襲色目の配色が四季の移り変りによる環境色の漸層的・対照的変化に関係があることに注目しなければならない。衆知のように、わが国は南北に細長くのびる島国で、寒帯と熱帯の中間の温帯に属し、気候は温和、春夏秋冬の四季があり、その間、霞、霧、雨、雪を見る。草木は四季の変化に応じて発芽、開花、繁茂、紅葉、落葉して色を変え、或る時は多彩に、或る時は単色調の環境色をつくり上げる。また、四季の移り変りによる温度の変化は、春の温暖、夏の暑、秋の清涼、冬の寒へ漸次推移的で、その変り目の早春、初夏、初秋、初冬は前後の季節が重なり合う。こうした、漸層的でしかも対比的に変わる環境に順応したわが国の人々、殊に自然への融和を第一に考えた平安貴族は、服色の美は自然の美に従い、それを忠実にとり入れることによって得られると信じた。かさねの色目の配色が自然の色を模したのは、そうした自然尊重の精神によるもので、安易な自然模倣ではなかったのである。

2 女房装束各部の衣について

次に、襲色目の配色美をつくり出す女房装束の各部の衣について略述することにする。

女房装束とは、女御以下の宮廷奉仕の女房（女官）の装束をいうが、これには「晴《はれ》」と「褻《け》」の別がある。晴の装束は、打袴《うちはかま》は勿論、単《ひとえ》、重袿《かさねうちき》（後に五領＝五ツ衣《いつつぎぬ》）、打衣《うちぎぬ》、表着《うわぎ》、唐衣《からぎぬ》をかさね、腰に裳《も》をつけ、髪に釵子《さいし》を挿し、手には袙扇《あこめおうぎ》を持って正装とする。この装束は、朝廷の公事、節会《せちえ》、貴人に接する折、或は物詣など、目立つ所へ出る時の装束で、後にはこれを「十二単《じゅうにひとえ》」とも呼んでいる。これは、十二領の衣を重ねた下に単《ひとえ》を着たことから出た女房装束の俗称だが、後には重ねる衣の数に関係なく、それに唐衣、裳をつけた装束を呼ぶようになった。その名は、『源平盛衰記』（四十三、二位禅尼入海）の条に、「弥生の末の事なれば、藤重の十二単の御衣を召されたり」と見えている。以上の女房装束の衣の構成と各部の形態は、平安朝以後部分的な変遷はあるが大綱には変りはない。

唐《から》衣《ぎぬ》

奈良時代に宮廷の女官が用いた背子《からぎぬ》の変化したもので、『枕草子』に、「なぞからぎぬは、みじかききぬとこそいはめ」と見えているように、上半身をはおるだけの短い衣である。その後身頃《みごろ》は前身頃の約$\frac{2}{3}$で、袖丈よりも短く、裄《ゆき》は下の襲ねをあらわすために狭く出来ており、襟は返して着るようになっている。この衣は地位によって地質・色目文様に区別があり、例えば、赤色の唐衣は、女御《にょうご》以上及び内親王の料とされ、表の色目は、経《たて》紫・緯《ぬき》赤の織色、文様は地文《じもん》亀甲、上文は白の牡丹の二倍《ふたえ》織物で、裏の色目は縹《はなだ》。文様は菱の固地綾の板引である。これに対して、青色の唐衣は典侍《ないしのすけ》の料で、表は経萌黄・緯黄の織色で、文様は続亀甲蝶丸の浮織物、裏は黄の固地綾板引であり、禁色《きんじき》を聴《ゆる》されている。『満佐須計装束抄』に「上臈女房《じょうろうにょうぼう》の色聴《ゆ》ると云ふは、青色の織物の唐衣、地ずりの裳を着るなり」と見えている。唐衣は藤原・鎌倉の時代では肩をすこしぬいで着用したが、江戸時代では肩まで着るようになった。

裳《も》

奈良時代の女子礼《らい》服姿・朝服姿のとき、上衣に纏った腰巻式のものを殊更に襞を深くたたんで狭くし、これを腰の後方だけに当て裾開きに長く優美に引くようにしたもので、上端に巾広の大腰《おおごし》をつけ、左右にやや狭い緒の引腰《ひきごし》と、別に、裳を腰につけるための小紐の小腰《こごし》をつけ、正面で多くの衣を括る。室町時代後半頃から小腰のかわりに大腰の両端から懸帯《かけおび》を出し、先端を結んだまま唐衣の上から肩にかけたが、江戸時代天保十五年からそれを廃して古えにかえった。裳の種類は、纐纈《こうけち》の裳、目染の裳、下濃《すそご》の裳、地摺の裳、描絵・繍・織物の裳など多種多様だが、その中で地摺（白地の絹に型紙で摺って染めた）の裳が一般に用いられた。

表着《うわぎ》

唐衣の下に着る衣で、垂頸《たりくび》・角い広袖の織物の衣（袿）である。その形はその下に着る五ツ衣と何等変わりはないが、下の襲ねを見せるために幾分小形につくられる。色は別に定めはないが、地質は階級によって、表に二倍織物・浮織物・堅織物のちがいがある。裏はみな平絹。表の文様は各自の好みによって椿・藤・松・菊などが用いられる。参考までに近世の例をあげると、女御の表着の表の地質は二倍織物、色目は赤地白、文様は地文入子菱上文抱牡丹。裏は紅の平絹。典侍の表の地質は浮織物、色目は麹塵《きくじん》、文様は若松唐草又は椿唐草。裏は紅の平絹となっている。この表着以下五ツ衣までの衣はみな袿《うちき》と呼ばれるものであるが、最上の袿を表着というのに対し、下の方にかさねる衣を五ツ衣或は重袿《かさねうちき》という。

打《うち》衣《ぎぬ》

表着の下に着る衣で、藤原時代から室町時代頃まで女房装束にはこの衣を着た。その形状は表着と同じく垂頸・角袖で色は紅であるが、幼年は濃色を用いた。後には一時用いられなくなったが、江戸時代末に復興した。打衣の名称はもと、紅の綾を砧《きぬた》で打って光沢を出したことからつけられたものである。後世では打つかわりに、板引《いたびき》といって、絹・綾の類に糊をつけて漆塗りの板にはり、よく干して引きはがし光沢を出したが、もとのままの名で呼ぶことがある。『女官飾鈔』に、「うちぎぬの事。紅の綾をうちて重ねられ候。おさあい人（幼い人）はこきうち衣也。夏冬にかはらずひきつくろふ時かさねられ候。常には単ばかりを重ねる也。又単の上にうちぎぬを重ねることもあり」とある。打衣の地質・文様は、女御・内親王などは紅の繁菱の綾、典侍以下は紅の平絹の板引、裏は紅の平絹を用いる。

重《かさね》袿《うちき》（五《いつ》ツ衣《つぎぬ》）

打衣の下、打衣を略する場合は表着の下に数枚重ねて着る衣（袿）で、この下に単を着る。重袿は後に五領が基準となり五ツ衣といわれるようになったことはさきにのべたが、この衣の仕立は、五枚襲ねた場合、一枚一枚の衣の表裏を見せるために下から上へ寸法を小さくし、裏の裂を一センチばかり袖口、襟、裾まわしに退《おめ》り出すようにしている。その地質・色目・文様を、近代の例で見ると、女御の衣の表の地質は固地綾、色目は淡蘇芳、文様は藤立涌で、裏の地質は平絹、色目は濃蘇芳。典侍の地質・色目は表・裏共に女御と同じだが、表の文様が柳・桜の菱となっている。

単《ひとえ》

単衣とも書き、五ツ衣の下に着る裏のない衣である。この衣はもとは直接肌に着けたものといわれているが、後世では白小袖を下に着る。その形状は以上の衣（袿）と似ているが、裄《ゆき》・丈《たけ》の寸法が一層長大に仕立てられており、色は紅のほか青・黄・白などが表着との配色関係から用いられ、これが五ツ衣の下にあらわれて女房装束の配色美をととのえる上で重要な役割を演ずるのである。単の端は「捻《ひね》る」といって、絎《くけ》ないで糊で巻いてある。地質は固地綾、文様は唐花菱を組合わせた幸菱が用いられている。又、夏は「単重《ひとえがさね》」といって、単二枚を縫わずに袖口・褄などを捻り重ねて一枚の衣のようにし、表・裏の色には重色目を応用した。その配色例は色票『女官飾鈔』の中にあげてある。

打《うち》**袴**《はかま》

女房装束のときまず着用（後世には小袖の上）する袴で、その名の打は、砧で打って光沢を出したことからつけられたものであるが、後世では上述の様に、「板引《いたびき》」といって漆塗の板に、糊をつけて絹を貼り、乾かして引きはがし光沢を出している（張袴《はりばかま》ともいう）。地質は皇后・中宮・女御・内親王は綾、臣下は平絹による表裏同質のものを用い、略儀には夏の料に生絹が用いられた。色目は紅が本式だが、若年は濃色が用いられる。女房装束の配色効果はこの袴の色も関係があるが、装束抄にはその紅・濃色を前提としているためか、あげられていない。

小《こ》袿《うちき》

上臈女房以上又はこれに準ずる女房が、唐衣・裳を除いて表着の上に重ねる衣である。形状は表着や五ツ衣と同じ袿であるが、下の衣から退《おめ》らかすために特に小形に仕立てられるので小袿と呼ばれている。その製法は近世のものは表と裏の裂の間に「中倍《なかべ》」という裏と異った色の絹を細くはさんで重色目に変化をつけ、小袿の特色としているが、本書所載の『女官飾鈔』は中倍のことにふれていない。中倍の配色例として『薄様色目』より「三重《みえ》がさね」の配色を色票にあげておいた。

この小袿を最上着として着用する「小袿姿」は、男官の「衣冠《いかん》」（束帯《そくたい》に次ぐ）に相当する、女官装束の略装であるが、これは下臈女房が着装するものではない。小袿の表地は二倍織物又は浮織物で、中倍及び裏地は平絹となっている。色目や文様は自由だが、普通、表・中倍・退《おめり》によって重色目を表わし、文様も重色目に因んだものを用いる。例えば、春の料である「梅」は、表を白、裏を深蘇芳、中倍を黄とし、表地に梅の折枝を文様とする。中倍の色は一般に表と裏が同色の場合はその淡色、表裏が同色相の濃淡の場合はその中間の濃さの色、表・裏が異色の場合はその中間の淡色を用いて変化をつけている。なお、小袿姿は時に、表着を略し、下に打衣、単を重ねて着ることもあるが、これは全くの褻《け》の服装である。

以上、女房装束の襲色目と、それを構成する各部の衣について概説したが、その関連事項として、次に、衣に表わされる文様・地質についてその大要をのべることにする。

3 衣に表わされる文様・地質

平安時代のはじめに「禁色《きんじき》の制」が定められ、天子の晴の袍色「黄櫨染《こうろぜん》」や、前代からの皇太子の「黄丹《おうたん》」は絶対禁色とされた。これに次いで、天子の褻《け》の袍色「青白橡《あおしろつるばみ》」や、上皇の常服の「赤白橡《あかしろつるばみ》」、親王・一位の「深紫」は臣下の袍色に使用することが禁じられた。禁色の制はこれらの服色と共にその地質にも定められ、禁色を聴《ゆる》された人でなければ有文の織物を着用することは出来なかった。この制では、四位以上は有文、それ以下は無文となっている。有文の文様は後には「有職文様」と呼ばれる美しく便化されたものである。無文の織物は精選された先染の色がわりの経・緯の糸で織り上げたもので、その色糸のとり合わせ方によって織り出される色に特定の名前がつけられ重用された。重色目の表色にこれが用いられている。ただし、この織色は一般には裏色に用いられることはない。重色目の裏色の裂には無文の白或は染色された平絹が用いられる。こうした有文無文の織色を表に、無文の染色を裏に配合することによって各種の色目が表出されるが、小袿の色目では「中倍《なかべ》」といって、表・裏の色の間に中間色相或は中間濃度の色の裂をさしはさんで、配色に立体感をあたえ、色票巻頭にみるような、「三重がさね」の色目を表出するのである。

文様を地質に織り出したものには、文様の個所が浮き出している「浮織物《うきおりもの》」（浮文ともいい、文様の色と地色とが同色の織物）と、これに対し、糸を固くしめて織った「固織物《かたおりもの》」（固文）、地文のある上に、別の色糸で上文《うわもん》を織り出した「二倍《ふたえ》（二重）織物《おりもの》」、地を綾に織り出した「固地綾」などがあるが、ここではそれらの織物によく用いられる有職文様の中、一般的な「襷文《たすきもん》」・「菱文《ひしもん》」・「窠文《かもん》」・「亀甲《きっこう》」・「立涌《たてわく》」・「浮線綾《ふせんりょう》」・「唐草《からくさ》」などの文様構成の概要をのべることにする。

襷文《たすきもん》。袈裟文《けさもん》とも呼ばれる。左右の斜線を交叉して、菱形を構成する文様である。この斜線の数によって、一重・三重・五重と呼ばれる襷文が生まれるが、重色目が形式化したころでは三重のものが広く行われ、その襷の中心に四菱の文を配したものを「三重襷《みえだすき》」と呼ぶようになった。この文様は夏の直衣《のうし》に用いられる。ところで、この襷文は、文学などには襷を略して、単に三重・五重と書かれることがあるが、これを「みつがさね」、「いつつがさね」と訓むと装束の重袿のことになるから注意を要する。例えば、「桜の五重の唐衣」(『枕草子』)というのは、「桜」表白・裏赤花の衣を五枚かさねたのではなく、「桜」(同上)の色目の五襷の文様の唐衣のことである。

菱文《ひしもん》。襷文のような斜線の交叉によって生じる菱形を輪廓とした菱形文様で、数・大きさ・形状によって、一菱・四菱・繁菱・遠菱・入子菱・花菱、と呼ばれる。花菱は菱形を花形の曲線に変えたもので、これも右に準じて一つ花菱・四つ花菱・繁花菱・遠花菱と呼ばれる。花菱の中で、大きな菱形の中に小さい四つの菱形を埋め、その菱形が四つの花形になったものを「幸菱《さいわいびし》」という。幸菱には四つが同じ大きさのものと、四つの中の二つが更に四つの小さな花菱になっているものがあり女房装束の単《ひとえ》に用いられている。花菱文はわが国では古くから用いられたが、平安時代では特に愛好され、衣服文様の代表的なものとなった。その種類は極めて多い。

窠文《かもん》。木瓜文《もこう》ともいう。従来ではこの文様は木瓜《ぼけ》又は胡瓜《きうり》の切口から来たものと解されているが、そのほか、簾の帽額《もこう》（左右につける縁布）の文様から来たという説もある。それはともかく、この文様構成は花弁状のものを外側に輪状に配して、輪廓をつくり、その中心部に小さい文様をまるく配するものである。窠の文様は数によって、一窠・二窠・三窠と呼びわけられる。一窠は一幅に一窠を配したもので、文様が一番大きく、二窠・三窠と小さくなる。この文様は錦織物や、女房の小袿の二倍浮織物にも見られる。また、女房装束の裳の腰の文様には「窠霰《かあられ》」といって、四角形連続の「霰文」の上に窠文を配したものが用いられている。「霰文」は江戸時代には「市松」或は「石畳」模様と呼ばれている。

亀甲文《きっこうもん》。経線と斜線による六角形の亀甲形を組合わせたもので、普通この亀甲形の内に更に並行して小さな亀甲形を画き、その中に四弁・八弁の花形を配している。唐衣にはこの地文の上に豪華な五盛の亀甲を配し、或は向い蝶・臥蝶の丸・牡丹などの文様を配した浮織物・二倍織物が用いられる。亀甲文は平安時代末より鎌倉時代に盛んに用いられ、以後の衣服にも用いられている。

立涌文《たてわく》。たちわくもんともいう。何本かの左・右に脹んだ曲線が相対して並び、脹んだ形としぼんだ形が瓢箪状に上下に連なり、それを左右に並べたものをいう。立涌の名は、糸を巻いたわくの様な形になるのでつけられたものと思われる。立涌文様はその連続の瓢箪状の脹みの中に種々の文様が配され、その文様によって、「雲立涌」・「藤立涌」・「菊立涌」・「波立涌」などと名付けられる。立涌文様は平安後期の藤原時代から用いられ、狩衣・指貫《さしぬき》・女御の五ツ衣などに広く用いられている。平安の物語に見える「りふもん」はこの文様のことであろう。

浮線綾《ふせんりょう》。もとは文様の線を浮き出させた綾織物を総称したが、後には大型の円文の名称となり、大型の円形文様ならば浮織でなくても浮線綾と呼んでいる。文様は使用する資料により「浮線菊文」・「浮線藤文」・「浮線蝶文」などと呼んでいる。その中で、蝶を資料とした「臥蝶丸《ふせちょうまる》」が広く行われたことから、これが「浮線綾」を代表する文様となっている。また、「浮線藤文」の中、藤の房八つで構成した「八つ藤丸」の文様は指貫や掌侍《ないしのじょう》の唐衣などに用いられ、有職文様の一つとなっている。その他、浮線綾の一種で指貫などに用いられるものに「鳥襷《とりだすき》」がある。これは中心文様の四方に尾の長い鳥の文様を襷にかけたものである。

唐草文《からくさもん》。色々な曲線からなる蔓草を模した文様をいう。「唐草」の名のおこりについては色々な説があるが、それはともかく、この文様は西方アジアから来たことは確かであろう。しかし、原始的な唐草文はわが国でも古くから用いられている。様式化された唐草文があらわれるのは後のことで、各種のものが用いられているが、その最も普遍的なものは「轡唐草文《くつわからくさもん》」と「輪無唐草文《わなしからくさもん》」などである。轡唐草文は馬具の轡を文様化し、それを唐草文に絡ませたもので、平安時代からこれが考案され、有職文様の一つとなった。この文様は当時袍に用いられたが後には儀式用の文様として色々に用いられた。また、輪無唐草文は宮中の正装である衣冠《いかん》・束帯《そくたい》に着用する袍の文様にはこれが主として用いられるが、このほか、上記の轡唐草文や、丁子唐草文・雲鶴文も用いられる。

以上は有職文様の代表的なものであるが、それらの文様構成は、直線（斜線・水平・垂直線）及び幾何曲線による幾何学的規区の中に、便化された花鳥草木がバランス良く配置されており、また、その文様が衣服に取り入れられた場合、転倒した不自然な文様にならないように工夫されている。こうした幾何学的織文様に対して、繡《ぬい》や摺《すり》・かき絵の手法によって花・鳥・蝶などの吉祥文様・風景などの絵様の文様が裳などに用いられている。その特別なものには、皇族の桐・竹・鳳凰文様があるが、臣下のものには尾長鳥・雲形・波に松島などの文様がある。装束以外となるとこの種の文様は限りがない。これらの自然的で自由な文様は後世の衣服模様の源となっている。以上の文様は色目と一体となって装束美を効果づけるのであるが、鎌倉時代から「色目文様」といって、重色目の名称に相当する文様を表色に織・染・縫・箔などで表わすようになった。例えば、「若鶏冠木《わかかえで》」（表淡青・裏紅）や、「瞿麦《なでしこ》」（表蘇芳・裏青）の表色にそれぞれの折り枝や、立涌・段々《だんだら》などの文様をほどこすようになった。これは重色目だけでは物足りなく、その内容を説明的に表現することを求めるようになって来たからである。

1 色票に掲載の重色目の解説

【春】

1 梅《うめ》 むめ

表白・裏蘇芳。『装束抄』[1]
別説、表白・裏深蘇芳、他二説。
着用時期、十一月より翌年二月まで。

早春、咲き匂う白梅の花の色を表わしたもので、表の白は裏の蘇芳によって暖みのあるものになる。梅に因んだ色目は、他に「一重梅《ひとえうめ》」・「梅重《うめがさね》」・「裏梅《うらうめ》」・「白梅《しらうめ》」があるが、これらの色目の配合は後の一覧表に見るように大同小異である。梅を名とする女房装束の襲色目に「梅の衣」（『女官飾鈔』[2]）がある。

梅の木は奈良朝の頃中国から渡来し、花には白・淡紅・紅があるが、平安朝では白梅は香を、紅梅は色を主として賞翫した。うめの名は中国語音「メイ」が転訛したとも、或いは、古代朝鮮語「マイ」に由来するともいう。梅はわが国文学によく見られ、それを詠んだ歌も多い。俳人許六は『百花譜』に梅の風情を、「梅の風骨（清くいさぎよいこと）たること、水陸草木の中に、似たる物はあらじ。…生涯を物ずきにくるしみ、風流のほそみに終る。…」と、遊女吉野高尾の生涯に比しているのは興味深い。

君ならで誰かに見せむ梅の花
色をもかをもしる人ぞしる

『古今和歌集』とものり

①『装束抄《しょうぞくしょう》』一巻。西三條實隆（一四五五―一五三七）の撰本。成立時期不詳。
②『女官飾鈔《にょかんかざりしょう》』女官装束の書。一巻。一条兼良（一四〇二―八一）の著。女官の衣の色目を季節によって分類説明した有職の文献。成立年代未詳。その女房装束の色目は色票にあげられている。

2 梅《うめ》重《がさね》 むめがさね

表濃紅・裏紅梅。『薄様色目』[①]
別説、表白・裏紅梅。
着用時期、十一月より二月まで。

梅の花の重なりを艶麗に表わしたものだが、色の配合から見て、この場合の梅は紅梅を指すものと思われる。しかし、「梅重」の別説による配色は白梅を表わしている。梅の花の色は通常白色だが、紅色のもの（紅梅）もあり、和歌には両者を共に「梅」と詠んでいるものがある。「梅重」の名は『満佐須計装束抄』[②]の襲色目にも見えているが、その配色は紅梅の襲ねを表わしているように思われる。（後出）「梅襲」の装束は『とはずがたり』に、「…うえ紅梅の梅襲八…」と見えている。

① 『薄様色目《うすよういろめ》』薄様紙重色目の書。一巻。色板摺。中村惟徳著。古代色三二色と、四季の重色目一四〇種を示し、附録に消息の古体を図説。文政九年（一八二六）刊。

② 『満佐須計《まさすけ》装束抄《しょうぞくしょう》』一巻。もと三巻であったのを一帖に写したもので、作者は源雅亮《まさすけ》。本文は仮名文であるから、「仮名装束抄」ともいい、また、作者名で「雅亮装束抄」ともいう。成立は嘉応元年（一一六九）以後になったものをいう。装束の抄物では最も古いものとされている。その女房装束の襲色目は色票にあげてある。

3 裏《うら》梅《うめ》 うらむめ

表紅梅・裏紅。『薄様色目』
別説、表白・裏蘇芳。
着用時期、十一月より二月まで。

梅花を裏からながめたところを表わしたものであろうか。この色目の別説、表白・裏蘇芳の配合は前出の「梅」と同じであることから、『装束色彙』[①]は、「案ズルニ是他ノ抄ニ所レ謂梅也。…蓋梅ハ裏梅一重梅等の通称ナレドモ、専ニ梅ト称スルハ裏梅ノ事ナルト見エタリ。」と述べている。また、『四季色目』[②]ではこれを「白梅」としている。裏梅の色の衣の記事は中古・中世の文学には見当らず、その頃の故実書にもその名は見当らない。この色目は近世になってあらわれたのではないかと思われる。

① 『装束色彙《しょうぞくしきい》』荷田在満（一七〇六—五一）が諸書中より装束の色目に関する事項を蒐集した写本四巻に伊勢貞丈が安永七年（一七七八）四月に冠註を加えたもの。

② 『四季色目《しきいろめ》』一巻。装束の色目に関する故実書の諸説を集録した辞書。別名『色目分』。梨陰散人編。文政十三年（一八三〇）刊。

4　紅梅《こうばい》

表紅梅・裏蘇芳。『四季色目』
別説、表紅梅・裏濃蘇芳、他五説。
着用時期、冬春、祝に。年少人正月十五日まで。

早春に花開く紅梅の色を模したものである。この時代での梅の賞翫は、白梅が主に香にあるに対し、紅梅は色にあった。『枕草子』に、「木の花は、濃きも薄きも紅梅」とある。それに因んだ「紅梅」の色の衣は平安の女房に愛用された。この衣は春の着用となっているが、二月以降は時期はずれとされている。『枕草子』「すさまじきもの」の中にも三、四月の紅梅の衣があげられている。衣色の紅梅には、染色・織色・重色の三種があるが、文学上の衣色は重色を指す場合が多い。紅梅の御衣（『源氏物語』）、紅梅の唐衣（『栄花物語』）などがそれである。紅梅の花に因んだ色目はこの他に、「紅梅匂《こうばいのにおい》」・「莟紅梅《つぼみこうばい》」・「裏陪紅梅《うらまさりこうばい》」・「雪下紅梅《ゆきのしたこうばい》」がある。『百花譜』に許六は紅梅の花の表情を「紅梅といふ花は、…花ひらけてより、日々に衰え、雨風を帯ぶ夕日にしらけてつぼめる色を失ふ。たとへば三そじ過ぎたる野郎の大躍につらなり、心ならず風流をつくりたる心地ぞする」と賦している。

折られけりくれなゐ匂ふ梅の花
今朝しろたへに雪は降れれど
『新古今和歌集』　頼通

5 紅梅匂《こうばいのにおい》　こうばいのにほひ

表紅梅・裏淡紅梅。『女官飾鈔』
別説、なし
着用時期、冬春。

配色上で「匂」というのは、同系色の濃色から淡色へ、或は、淡色から濃色へ漸層的に変化させることだが、重色目では、「紅梅匂」は表の色を濃く、裏を淡くしている。しかし、濃いといっても、ここでは中紅梅を指す。紅梅の衣は『栄花物語』に「紅梅の紅に匂ひたる」、「紅梅の匂を著たり」などと見えている。「紅梅の匂」は後出の『女官飾鈔』や『曇華院殿装束抄』[1]の襲色目の配色の名にも見えている。

①『曇華院殿装束抄《どんげいんでんしょうぞくしょう》』装束の書。一巻。著者は通説には曇華院門主である後奈良天皇皇女聖秀尼宮とされているが、別説もあり、詳細不明。成立の時期は天文の頃と見られているが、不詳。

6 莟紅梅《つぼみこうばい》

表紅梅・裏濃蘇芳。『薄様色目』
別説、表紅梅・裏蘇芳、他一説。
着用時期、冬春。

紅梅の蕾《つぼみ》の色を表わしたものだが、この色目は前掲の「紅梅」の別説と同じであり、また、色譜の紅梅は「莟紅梅」の別説と同じになっている。このように重色目には同色異名が多いが、それは主題の色に対する見方のちがいによるもので、その是非を問うことは出来ない。「莟紅梅」の衣はこの時代の『右京大夫家集』に「つぼめるいろのこうばいの御ぞ（衣）」と見え、中世の『とはずがたり』に、「つぼみ紅梅にやあらん、濃きくれなゐのうちぎ、云々」と見えている。

7 若《わか》草《くさ》

表淡青・裏濃青。『薄様色目』
別説、なし。
着用時期、正月、二月初。

早春の野原に淡緑の若草が萌え出た情景を表わした色目である。この「若草」のように、その場の情況を表わしたものは、他に、冬の「枯野《かれの》」・「枯色《かれいろ》」・「雪下紅梅《ゆきのした》」などがある。「若草」の衣の記事は国文には見当らないが、若草の色目を生んだ情景は和歌に詠まれている。

薄く濃き野辺のみどりの若草に
あとまで見ゆる雪のむらぎえ

『新古今和歌集』 宮内卿

8 柳《やなぎ》

表白・裏淡青。『装束抄』
別説、表淡青・裏淡青、他五説。
着用時期、冬より春。

早春、猫《ねこ》柳の枝に芽生えた、白いうぶ毛の新芽の色を表わしたものである。この「柳」の色目はまた「薄柳《うすやなぎ》」とも呼ばれるが、それは「柳」の色目が薄い緑で表わされるからである。「柳」の衣は、『紫式部日記』に「左京は青いろに柳の無紋の唐衣、柳の上白の御小袿」と見えている。柳に因んだ色目は、このほか、「面柳《おもやなぎ》」・「黄柳《きやなぎ》」・「青柳《あおやなぎ》」・「花柳《はなやなぎ》」・「柳重《やなぎがさね》」がある。柳の木は古い時代に中国から伝わっているが、それには、猫柳《ねこやなぎ》と、枝垂柳《しだれやなぎ》の二系統がある。この「柳」の色目は表が白となっていることから見て、猫柳の新芽を表わしたものと見たわけである。

9　面柳《おもやなぎ》

表濃青・裏濃青。『四季色目』
別説、なし。
着用時期、春。

青々と成長した柳葉の表の色を表わしたものである。この面柳の濃い緑に対して、江戸時代の染色の色名に「裏柳《うらやなぎ》」という柳葉の裏色に因んだ淡緑がある。「面柳」の衣は文学には見当らない。

10　黄柳《きやなぎ》

表淡黄・裏青。『四季色目』
別説、表淡黄・裏淡青、他六説。
着用時期、冬春。

早春、柳葉がのびる前に黄緑色の花をつけたところを表わしたのであろうが、「黄柳」の名は一般色名にはなく、平安文学にも見当らない。

11　青柳《あおやなぎ》　あをやぎ

表濃青・裏紫。『薄様色目』
別説、表濃青・裏濃青、他一説。
着用時期、春。

青々と垂れ下った枝垂柳《しだれやなぎ》の色を表わしたもので、その風情は『堤中納言物語』に「青柳は風につけつゝさぞみだるらむ」と見え、『源氏物語』には、色を増した柳の枝の垂れているところが描写されており、また、和歌にも詠まれているが、「青柳」の衣の記事は文学には見当らない。

春雨の降りそめしよりあをやぎの
糸のみどりぞ色まさりける

凡河内躬恒

12 花柳《はなやなぎ》 はなやぎ

表青・裏淡青。『色目秘抄』①
別説、表白・裏青
着用時期、冬春。

名称からは、「花柳」は花をつけた柳、と解されるが、表・裏の色の配合から見て、これは黄柳がすこし青みがかった頃の柳の色を表わすものと思われる。その名の衣の記事は、さきにあげた、面柳・黄柳・青柳と同様に平安・中世の文学には見当らない。これらの柳を形容した色目は近世になってあらわれたのではないかと思われる。

① 『色目秘抄《いろめひしょう》』装束の書。写本。一巻。左京大夫康実卿の集成を権少将成貞朝臣が借り写したもの。重色目をいろは順に分け、季節を付してある。寛政二年正月写。成立年代未詳。

13 柳重《やなぎがさね》

表淡青・裏淡青。『藻塩草』①
別説、なし。
着用時期、冬春。

柳の若葉の重なりを表わしたものである。この色目はさきにあげた「柳」の別説と同じであるが、名目上は別になっている。「柳重」の衣の記事は『宇津保物語』に、「やなぎがさねたり」と見え、『栄花物語』には「柳襲の唐衣」など見えている。衣色ではないが「御文、柳襲の紙にて、柳に付けさせ給へり」と薄様の重色目の記事も見えている。ところが、女房装束の襲色目には「柳」はあるが「柳襲」と称するものは見えていない。

①『藻塩草《もしおぐさ》』装束の重色目を十二ヶ月・雑に分け、表・裏の色の配合について記述したもの。編者・成立時期不詳。

14 桜《さくら》

表白・裏赤花。『胡曹抄』①
別説、表白・裏二藍、他十八説。
着用時期、冬春。

赤い若葉の上方に白い花を咲かせた山桜を表わした色目である。この時代に桜といえば山桜を指す。赤花とは紅花のことで、それで染めた紅の色をいう。(『装束集成』②)「桜」に関する諸説は重色目中最も多く二十説があげられる。また、桜に因んだ色目は他に、「樺桜《かばざくら》」・「紅桜《くれないざくら》」・「白桜《しろざくら》」・「松桜《まつざくら》」(待桜)・「花桜《はなざくら》」・「薄花桜《うすはなざくら》」・「桜萌黄《さくらもえぎ》」・「薄桜萌黄《うすさくらもえぎ》」・「桜重《さくらがさね》」・「葉桜《はざくら》」・「薄桜《うすざくら》」の十一種がある。これらの色目がみな平安時代にあらわれたわけではないが、これを見ても桜が古くからわが国の愛好の花だったことがわかる。「桜」の色目の衣は平安文学にはよく見られ、『枕草子』に「桜の御直衣」、『紫式部日記』に「桜の唐衣」、『栄花物語』には「桜の織物の袿」が見えている。許六は桜について、「桜は全盛の傾城(遊女)なり。天晴《あっぱれ》当風に打こみたる風俗、行末明日のたくはえの一点もなき花なり」と『百花譜』に評している。

桜色に衣はふかく染てきむ
花のちりなむのちのかたみに
『古今和歌集』きのありとも

①『胡曹抄《こそうしょう》』関白房通が房基に書きあたえた、当家着用装束并に旧記。天文十三年（一五三三）成立か。慶安三年（一六五〇）藤原隆貞写。
②『装束集成《しょうぞくしゅうせい》』（江戸中期頃高倉流の関係者の手になるものか。著者、成立時期共に不詳。）に、「夫《それ》赤花とは赤藍（紅花）なり…」とある。

15 樺《かば》桜《ざくら》

表蘇芳・裏赤花。『装束抄』
別説、表薄色・裏濃二藍、他十四説。
着用時期、春。

山桜の一種、樺桜[1]の花に因んだものという説と、檜物師が捲物を綴じるのに用いる桜皮の色に因んだものという説がある。また樺桜と称するものにも色々種類があって、その色目の由来はいずれとも断じがたいが、樺桜の花は平安貴族に愛好されており、『宇津保物語』に「桜の花、かばざくらの花いとおもしろし」と見え、『源氏物語』「野分」では、気高く清らかな女性、紫の上を樺桜にたとえ、「春の曙の霞の間より、おもしろき樺桜の咲き乱れたるを、見る心ちす」と描写している。「樺桜」の衣の記事は『狭衣物語』に「樺桜の二重織物の小袿」、『栄花物語』に「樺桜の二重文の唐衣」が見えている。

①樺桜『和訓栞《わくんのしおり》』（谷川士清著の国語辞典。五〇音順にあらゆる語を記したもの。前編四五巻、中編三〇巻、後編一八巻。安永六（一七七七）—明治二〇（一八八七）刊行を終了。）に、「今かばざくらといふは、花のかば茶色なる桜也、黄桜ともいふ。或は犬桜の一名とす。樹は似て花は似つかず賞すべき品にあらず、されば源氏に、おもしろきかば桜の咲きみだれたるを見る心ちす、といへるものは別種にや。…徹書記の説に、かばざくらは一重桜也。或は一重のうす紅にて艶なる花なりともいへり。古今栄雅抄に絹の色おもて蘇芳に裏薄色なるをかばざくらといふといへり。樹皮の色によれるにや、…今檜物師などの専らに用いる桜皮は白かんばの木といふ是也。」とある。

『大言海』に、「カニハザクラ。今、山桜ノ一種。花甚だ疎《マバラ》ニシテ、単弁ニシテ、白キモノ。皮を採リテ捲物ヲ綴ヂ、又、笛ナド巻ク」とある。

『広辞苑』には、「山桜の一種。葉はヒガンザクラに類シ青芽。花は白単弁」とある。

16 薄花桜《うすはなざくら》

表白・裏淡紅。『薄様色目』
別説、表白・裏紅、他一説。
着用時期、春。

ほんのりと紅味を含んだ山桜の花を表わしたもので、別説の表白・裏紅は冬の「雪下紅梅《ゆきのしたこうばい》」の別説にも見られる。『藻塩草』に「薄花桜、雪の下の紅梅と号す」とある。「薄花桜」の衣の記事は平安文学には見当らない。

17 桜萌黄《さくらもえぎ》　さくらもへぎ

表萌黄・裏赤花。『四季色目』
別説、表萌黄・裏濃二藍、他九説。
着用時期、春。

萌黄色の若葉越しに散見される山桜を表わしたものであろうか。この色目の衣は、『狭衣物語』に「桜萌黄の細長」、『栄花物語』に『桜萌黄の唐衣』などが見え、また、その名の装束の襲色目は『女官飾鈔』に見えている。

18 薄桜萌黄《うすさくらもえぎ》　うすざくらもへぎ

表淡青・裏二藍。『四季色目』
別説、表淡青・裏蘇芳、他一説。
着用時期、春。正月、二、三月。

前掲の桜萌黄の萌黄色をより淡くした若葉越しの山桜を表わしたものであろう。この色目はさきの「桜萌黄」と共に若者の着用となっている。

19 葉《は》桜《ざくら》

花が散って、若葉が生々と太陽に映える頃の桜木立ちを表わしたものであるが、その名の衣の記事は平安文学には見当らない。近世になって出て来た色目であろう。

表萌黄・裏二藍。『四季色目』
別説、なし。
着用時期、春。

20 菫《すみれ》

春、紫色に優しく咲き出た菫の花色を象った色目である。その衣の名は平安文学には見当らないが、中世の①『桃花蘂葉』に色目の配合が述べられているから「菫」の衣はこの時代に用いられていたことがわかる。スミレの名は、スミイレの略で、花の形が大工の用いる墨壺に似ていることからつけられたものという（②『萬葉植物新考』）。風情のあるその紫の花は古くから愛翫され、和歌にも詠まれている。

あとたへてあさぢしげるか庭の面に
誰れ分け入て菫つみけん
『山家集』

表紫・裏淡紫。『薄様色目』
別説、表紫・裏薄色。
着用時期、春。二、三月。

①『桃花蘂葉《とうかずいよう》』一条兼良《かねよし》（一四〇二―八一）が子の冬良のため撰した「当家着用装束以下事」で、一条家の装束・礼式・所領などを記した書。文明十二年（一四八〇）成立。桃花とは一条家の別称。

②『萬葉植物新考《まんようしょくぶつしんこう》』万葉集にあらわれた植物の研究書。松田修著。植物の吟味と、それが日本文学にあらわれた事例を解説したもの。昭和四十五年社会思想社発行。

21 壺《つぼ》菫《すみれ》

表紫・裏淡青。『薄様色目』
別説、表紫・裏青、他一説。
着用時期、春。或いは二月。

春の野に咲き出る菫菜（壺菫）の花を表わした色目である。その名のツボは、『源氏物語』の「桐壺」と同じで、草木を植えこんだ庭のことである。①『牧野新日本植物図鑑』によると、ツボスミレは、もとは庭に生えるスミレの総称であって、花形が壺の形に似ているからつけられたのではないとのこと。壺菫の花は春から夏まで咲きつづけ、その花形は菫に比して小さい。壺菫は『枕草子』「草の花は……」に刈萱・菊などと共に見えており、また和歌にも詠まれているが、その色目の衣は平安文学には見えていない。

春雨のふる野の道のつぼすみれ
つみてはゆかん袖はぬるとも
『定家集』

① 『牧野新日本植物図鑑《まきのしんにほんしょくぶつずかん》』日本に自生・栽培の植物を分類・図解した図鑑。牧野富太郎著。昭和三十六年北隆館発行。

22 桃《もも》

表淡紅・裏萌黄。『色目秘抄』（中倍白）
別説、表韓紅・裏紅梅、他四説。
着用時期、春。三月。

萌黄色の新芽を配し、咲き匂う桃花を表わした色目である。桃は古く中国より伝わり、花を観賞し、実は食用として栽培した。中国では桃に邪鬼を払う力があるとされた。それは桃が陽の植物であり、鬼は陰であるとされたからである。その信仰がわが国に伝わったが、桃花は品位において梅花・桜花に劣ると見られたようである。桃の実に毛のあるものを「毛桃」といい、在来のものにはこれが多い。俳人許六は桃の花を評して「桃は元来いやしき木ぶりにて、梅桜の物ずき風流なる気色もみえず、たとへば下司の子の俄に化粧し、一戚（一族一家）を着飾りて出でたるが如し、爛漫と咲き乱れたる中にも、首すぢ小耳のあたりに産毛のふかき所ありていやし」（『百花譜』）とのべているのは面白い。

23 早蕨《さわらび》

表紫・裏青。『薄様色目』
別説、なし。
着用時期、春。三月。

春の山野に生え出た摘草の蕨を象ったものである。その色目は「紫塵嫩蕨」の句の通り、表を紫色の塵に、裏を嫩い茎の緑に象っているが、「早蕨」の衣は平安文学には見当らず、『胡曹抄』に「この衣近代用いたる人無し。名ばかりか」とある。因みに、蕨の和名のワラは、カラ（茎）に通じ、ビはミに通じ、食用になる茎の意という。

紫の塵うち払ひ春の野に
あさる蕨はものかげにして

堀川院百首

24 躑躅《つつじ》

表蘇芳・裏萌黄。『色目秘抄』（中倍白）
別説、表蘇芳・裏青、他十説。
着用時期、冬より春。三十歳まで。

枝の先に紅《あか》い花を咲かせた山躑躅を表わしたものである。躑躅は春を飾る花として万葉以来広く観賞されており、その種類は多いが、わが古代で一般に躑躅というのは山躑躅の類である。躑躅に因んだ色目は、他に、「紅躑躅」・「白躑躅」・「岩躑躅」・「モチ躑躅」がある。岩躑躅は岩の辺に咲いていることから、モチ躑躅は花が粘りつくことからつけられたものである。「躑躅」と称する色目の衣の記事は『宇津保物語』に「つつじ色のしたがさね」、「つつじのこうちぎ」が見え、『枕草子』に、「下襲は…冬は、躑躅」、「汗衫は…春は、躑躅」と見えている。なお、女房装束の襲色目にもその名がつけられており、後述の『女官飾鈔』にはその配色が示されている。

25 紅躑躅《くれないつつじ》 くれなゐつつじ

表蘇芳・裏淡紅。『女官飾鈔』
別説、表紅・裏赤、他三説。
着用時期、春。二、三月。

山躑躅の一種、紅躑躅の色に象った色目である。紅躑躅は最も代表的な躑躅で、昔、「山で赤いのはつつじにつばき」といわれ、和歌にも詠まれている。「紅躑躅」の衣の記事は平安文学には見当らないが、装束の襲色目の配色は『女官飾鈔』に見えている。(後述)

くれなゐのふりての色のをかつつじ
妹がま袖にあやまたれける

藤原仲實

26 白躑躅《しらつつじ》

表白・裏紫。『薄様色目』
別説、表紅梅・裏濃紫、他三説。
着用時期、春。二、三月。

前掲の紅躑躅に対して白躑躅の花の色を表わしたものである。この色目はその名の通り表は白になっているが、別説には、表が紅梅或は紅となっているものもある。これは名称から見て不自然であるが、重色目には、しばしばこうしたものが見受けられる。こういう配合のものは後世に打出された説ではないかと思われる。

ゆけどゆけど花ましろなる躑躅野や
空には白き雲も流れて

金子薫園

27 山吹《やまぶき》（欵冬）

表淡朽葉・裏黄。『胡曹抄』
別説、表朽葉・裏黄、他五説。
着用時期、春。冬より三月。

春、庭や垣根に黄色の花を咲かせる山吹を象ったもの。山吹に因んだ色目は他に、「花山吹」・「裏山吹」・「山吹匂」・「青山吹」がある。「山吹」の衣の記事は物語や日記によく見られ、『源氏物語』に「山吹の袿」、『狭衣物語』に「山吹の小袿」、『紫式部日記』に「山吹の御衣」などが見えている。山吹の花の黄は鮮やかで暖みがあり、後世ではその色を黄金色の代名詞としている。山吹の花の色の美しさと姿のやさしさは平安人の心を惹き、『源氏物語』「野分」に、「八重山吹の咲き乱れたる盛りに露かかれる…」と描写されている。その風情を許六は「山吹の清げなる、眉目容《みめかたち》すぐれ、鼻筋おしとをり、襟まはり奇麗《きれい》に生れつき、ただ透融《すきとおる》なんどいへるばかりにて、さして命をかけてと思はざる類こそ、女の本意とはいふまじけれ。」とのべている（『百花譜』）。山吹の名は、山振（ヤマフキ）、すなわち、枝が風に吹かれてゆれやすいことから来ているという。その花の黄色を支子《くちなし》染の黄色にかけて、素性法師は、

山吹の花色衣ぬしや誰れ
　問へど答へず口なしにして

『古今和歌集』　素性法師

と詠んでいる。

28 裏山吹《うらやまぶき》

表黄・裏紅。『装束抄』
別説、表黄・裏青、他五説。
着用時期、春冬多く着用。

山吹の花を裏から見た色目で、若人の色とされている。基本の色目の名称に「裏」を冠したものは、この裏山吹の他、さきにあげた「裏梅」などがある。重色目の配合では、このように、同じ植物の見方や配色を変え、その系統の色目の種類を多くし、選択に巾をもたせるようにしたものが多い。「裏山吹」の衣は『栄花物語』に、「内侍の女、裏山吹ども三つにて、単ども皆打ちたり。萌黄の打ちたる、山吹の二重文の表着、云々。」と見えている。なお、女房装束の襲色目でもその名のものが『女官飾鈔』に見えている。

物思ふ妹が姿に似たるかな
　雨にふしたる山吹の花

熊谷直好

29 山吹匂《やまぶきのにおい》 やまぶきのにほひ

表山吹色・裏黄。『色目秘抄』
別説、なし。
着用時期、春。

山吹の花が色美しく映えるさまを表わした色目であるが、配色上での「匂」は一般に下部から上部へ漸次色を濃くすることをいう。色彩上での「匂」とは、本来丹秀《にほ》、即ち、丹や紅に色づくことだが、後には紫、黄、白にも云うようになり、平安時代では衣の配色上の一形式として、衣服の重・襲の色目に用いられている。「山吹の匂」の衣色については、『栄花物語』に、「一品宮の山吹の匂。一の車は濃き、二の車は薄く匂ひたり」と見えている。また、装束の襲色目の配色にもその名のものがある(『女官飾鈔』)。

春雨ににほへる色もあかなくに
かさへなつかし山ふきの花

『古今和歌集』 よみ人しらず

30 青山吹《あおやまぶき》 あをやまぶき

表青・裏黄。『薄様色目』
別説、なし。
着用時期、春。

緑の葉隠れに咲いている山吹の花のさわやかな感じを表わした色目であるが、「青山吹」の衣の記事は平安文学には見当らない。

今もかもさきにほふらむ橘の
こじまのさきの山吹の花

『古今和歌集』 よみ人しらず

31 藤《ふじ》 ふぢ

表薄色・裏萌黄。『服飾管見』①（中倍淡青）
別説、表淡紫・裏青、他六説。
着用時期、三月より四月まで。

紫に咲き匂う藤の花を表わした色目。藤の花は陰暦三月末から四月、即ち、晩春から初夏にかけて花を開くことから、「藤」の衣の着用はその期間に限られる。『源平盛衰記』、女院御入水、のところに、「弥生の末の事なれば、藤重ねの十二単の衣をめされたり」と見えている。ここでの藤重は装束の襲色目の名であるが、衣の重色目の「藤」は、『栄花物語』に、「藤の唐衣」、「藤の織物」などが見えている。藤に因んだ色目は、他に、「白藤《しらふじ》」、「藤重」がある。藤の花の色は奈良時代では「なつかしき色」とみなされ、平安時代ではその色が、高貴な紫であることや、藤が藤原氏の象徴であることなどから色の中の色とされ、『源氏物語』では、その紫に因んだ高貴な女性、藤壺の女御を登場させ、また、「藤裏葉」の一編をもうけている。藤は漢名の紫藤からとった名で、和名のフジは「吹き散る」ことの意という。許六は、「藤は執心のふかき花なり。いかなるうらみをか下に持けむいとおぼつかなし。」とのべている（『百花譜』）。

①『服飾管見《ふくしょくかんけん》』装束の書。十四巻。別録九巻。田安宗武著。成立時不詳。天明四年（一七八四）源久恒これを書写し、一冊とす。

32 白《しら》藤《ふじ》 しらふぢ

表淡紫・裏濃紫。『薄様色目』
別説、なし。
着用時期、春。

藤の変種シロバナフジを表わしたものだが、色目の表の色は白ではなく「藤」と同系統の淡紫となっている。「白藤」の衣は平安文学には見当らない。後世の色目であろうか。

33 牡《ぼ》丹《たん》 ぼうたん

表淡蘇芳・裏白。『薄様色目』
別説、表白・裏紅梅、他五説。
着用時期、春。三、四月。

晩春―初夏に妖艶な大輪の花を開く牡丹の花の色を表わしたもので、色は紫・紅・淡紅・白など色々だが、ここにあげられている「牡丹」の色目は、いわゆる「牡丹色」(紫紅色)である。牡丹の花は中国では古来、花の王、富貴花として賞翫された。我国には薬用として伝えられたが、やがてその花が観賞されるようになった。『枕草子』・『栄花物語』などにそれを植えて喜んだことが記されている。牡丹の花の風情について許六は、「牡丹は、寵愛時を得たる妾の、天下にはばかれる、心なげに打ほこり、常は…青天にむかって吐息をつきたる風情に似たり。」と評している。その色目の衣の記事は、平安文学には見当らない。牡丹の色目はもっと後に現われたものと思われる。牡丹は別に「深見草」と呼ばれ、歌にも詠まれている。

人しれず思ふ心は深見草
花さきてこそ色にいでけれ

『千載和歌集』 千保

【夏】

34 卯《うの》花《はな》

表白・裏青。『雁衣鈔』[1]
別説、表白・裏白、他二説。
着用時期、四月。

初夏、野原や人家の生垣などに、緑葉を背に白い花を咲かせた卯花を表わしたものである。この色目は『雁衣鈔』に、「春は柳、秋は菊と号す」とある。「卯花」の衣の記事は『栄花物語』「御裳ぎ」に、「大宮の女房…藤十人、卯の花十人、躑躅十人、山吹十人ぞある。」と見えている。また、装束の襲色目の「卯花」は『満佐須計装束抄』・『女官飾鈔』にあげられている。「ウノハナ」の名は、その別名の「ウツギ（空木）ノハナ」が省略されたものという。「卯の花は第一名目よし。時鳥の来るべきころは、かならず咲くとおぼえたるこそをかしけれ。うつ木の花といふ人は無下の事なり。」（『百花譜』）

時わかず降れる雪かと見るまでに
垣根もたわに咲ける卯の花

『後撰集』

①『雁衣鈔《かりぎぬしょう》』装束の書。一巻。狩衣について、種類・色目をあげ、その用・不用を説明したもの。鎌倉時代末期の成立とされている。著者不詳。

35 蝦《かえ》手《で》（鶏冠木・楓）かへで

表青・裏青。『雁衣鈔』
別説、表萌黄・裏萌黄。
着用時期、夏。

まだ紅葉しない楓の色を表わしたものである。「カエデ」は「カエルデ」が略されたもので、その葉が蛙の手に似ていることから出た名。植物名は「タカオモミジ」で、秋、紅葉する代表の木である。「蝦手」を名とする色目は、ほかに「若蝦手《わかかえで》」がある。「蝦手」の衣は、『右京大夫家集』に「さしぬきはかへでのきぬ…」と見えている。蝦手の木は『枕草子』に、「花の木ならぬは、かへで、…ささやかなるに、萌え出でたる葉末の赤みで、同じかたに広ごりたる葉のさまは」と見えている。

36 若蝦手《わかかえで》（若鶏冠木・若楓）わかかへで

表淡青・裏紅。『胡曹抄』
別説、表淡萌黄・裏淡紅梅、他五説。
着用時期、夏。

初夏、若葉と共に紅の小さい花をつけた若蝦手を表わしたもの。「若蝦手」の衣の記事は、『夜の寝覚』に、「若楓の唐衣、裳はおなじ薄色」とあり、その名の女房装束の襲色目は『満佐須計装束抄』に見えている。若蝦手の葉の美しさについて『徒然草』は、「卯月ばかりの若かへで、すべて萬づの花紅葉にも勝りてめでたきものなり。」と記している。

37 杜若《かきつばた》（燕子花）

表淡萌黄・裏淡紅梅。『藻塩草』
別説、表二藍・裏萌黄、他二説。
着用時期、夏。四、五月。

初夏の頃、緑葉の間に咲き出た紅梅色の杜若の花を表わしたものである。杜若の花の色は一般に濃い紫であるが、重色目では淡紅梅又は二藍色になっている。「杜若」の衣は『栄花物語』に、「中宮女房の装束は、たゞいと麗しく、…皇后宮のは、菖蒲・楝《あふち》・瞿麥《なでしこ》・杜若など」と見え、後の『増鏡』に「出だし車に、色々の藤・躑躅・卯の花・なでしこ・かきつばたなど、さま〴〵の袖口こぼれ出でたる」と見えている。この色目の衣は女房に愛用されており、その花は『枕草子』「めでたきもの」に「紫の花の中には杜若ぞ、すこしにくき」と評されている。「カキツバタ」の名は上代にその花汁で摺染をした「カキツケバナ」の訛ったものという。許六は杜若を評して「杜若はづぶとき花なり。うつくしき女の盗みして恥を知らぬに似たり」とは面白い。

38 葵《あおい》 あふひ

表淡青・裏淡紫。『藻塩草』
別説、表淡青・裏紫。
着用時期、四月。

夏、淡緑の葉の間に大輪の艶麗な花を咲かせた立葵《たちあおい》を表わしたもの。この葵の花の色には、紅・白・斑など色々あるが、重色目では淡紫となっている。「葵」の衣は平安文学には見られないが、『狭衣物語』に「葵がさねの薄様（薄様紙）の、色…」が、見えている。立葵は中国より伝来のものであることから「からあおい」とも呼ばれ、また、「花葵《はなあおい》」とも呼ばれる。その花は、茎の下の方から順次上に向って開いてゆくのである。

日につれて咲きのぼりけり花葵　　蘭史

39 楝《おうち》（樗）あふち

表薄色・裏青。[1]『物具装束抄』
別説、表紫・裏淡紫。
着用時期、四、五月。

夏、喬木の楝（別名栴檀《せんだん》）の枝先に淡紫の小さい花を群がり咲かせたところを表わしたもの。「楝」

の衣は『源氏物語』に「あふちの裾濃の裳」、『栄花物語』に「楝などの唐衣・表着など…」と見えている。楝を栴檀というのは、その木を焼くと香木のような薫りがするからである。平安時代では五月五日の節句に、菖蒲や蓬《よもぎ》と共に邪気を払うものとして用いているが、中世頃からこれを不浄の木として、斬罪の生首を懸けるのに用いたことが『平家物語』に見えている。また、近世ではこの木を刑場の周囲に植えた。何故楝が不浄の木とされるようになったか不詳だが、一説に、その名、あふちを、血にあふことにむすびつけたからではないか（『安齋随筆』[2]）という。

① 『物具装束抄《もののぐしょうぞくしょう》』装束の書。一巻。著者は不詳であるが、書写奥書に「応永十九年（一四一二）八月二十一日書写之、本者花山院亜相忠定卿自筆也云々」とあるから、それ以前の成立であろう。

② 『安齋随筆《あんざいずいひつ》』伊勢貞丈（享保二―天明四　一七一七―八四）著。有職故実を始め、事物の起源沿革、文字の訓、その他諸般に亘る雑録。伝えるもの数本あり巻数も異る。天明四年（一七八四）成立。

40　蓬《よもぎ》

表淡萌黄・裏濃萌黄。『胡曹抄』
別説、表白・裏萌黄、他一説。
着用時期、夏。

夏期、成育した蓬の色を表わした色目。蓬は邪気を払う草として五月五日の節句に菖蒲と共に用いられ、新芽は草餅に入れられた。『枕草子』に、「節《せち》は、五月《さつき》にしく月はなし。菖蒲《さうぶ》・蓬《よもぎ》などのかをりあひたる、いみじうをかし。」と記されている。蓬の成長した葉の白毛から艾《もぐさ》がつくられた。「蓬」の色目の衣は『栄花物語』に、「中宮の女房の装束は、…撫子の織物の表着、よもぎの唐衣、楝の裳なり」と見えている。

41 百合《ゆり》

表赤・裏朽葉。『胡曹抄』
別説、表紅・裏朽葉。
着用時期、夏。

盛夏、野山の繁みに咲き匂う姫百合の色を表わしたもの。その花色には黄・赤の二種があるが、主に濃い赤色であって、笹百合のように白くはない。姫百合の「姫」は、花が小さくて可憐なことからつけられたものという。その容姿は、許六の『百花譜』に、「姫百合は十二・三ばかりなる娘の、後に帯美しく結びたるが如し。」とあり、その愛らしさをよく言い表わしている。しかし、「百合」の衣の記事は平安時代の物語・日記にはなく、『胡曹抄』には「この衣はいたく近代用いず」とあり、後世にもあまり用いられなかったようである。

庭の面の土さへさくる夏の日に
ひとり露けきひめゆりの花

土御門院

42 苗《なえ》色《いろ》 なへいろ

表淡青・裏黄。『薄様色目』
別説、表淡萌黄・裏淡萌黄、他一説。
着用時期、夏。この衣はいたく近代用いず。

稲の苗代の淡萌黄色を表わしたもの。「苗」を名とする色目は、他に次の「若苗」があるが、重色の感じや着用の時期などあまりちがわない。「苗色」の衣はまだ平安文学には見られないが、「若苗」の方は見えているところから、苗色は若苗より後にあらわれたものではないかと思われる。

43 若苗《わかなえ》 わかなへ

表淡木賊・裏淡木賊。『藻塩草』
別説、表淡青・裏淡青、他一説。
着用時期、夏。

この色目は早苗の色を表わしたもので、その衣の記事は『源氏物語』に「若苗色の小袿きたり」と見えている。苗を名とする色目はこの方が初発のものであろう。

さ苗とる山田のかけひ漏りにけり
ひくしめ縄に露ぞこぼるる

『新古今和歌集』 大納言経信

44 菖蒲《しょうぶ》 さうぶ

表青・裏濃紅梅。『物具装束抄』
別説、表淡萌黄・裏紅梅、他六説。
着用時期、四、五月。

池の辺に剣状の清新な緑葉を出している菖蒲草を表わした色目である。菖蒲の葉を五月節句には軒に飾り邪気を払う印としたが、これは花あやめとちがって、花を観賞するものではない。『本草綱目啓蒙』①

は、「古歌にアヤメと詠ぜしは、皆今端午《たんご》に簷《えん》（のき）に挿むセウブなり、今俗アヤメと呼びて花を賞する者はハナアヤメの略なり。」と説いている。「菖蒲」の色目の表の青は勿論その葉色であるが、裏の濃紅梅は葉の間に生じる円柱状の花穂を表わすのであろうか。「菖蒲」の衣は『栄花物語』に、「はかなく五月五日に成ぬれば、人〳〵菖蒲・楝などの唐衣・表着なども」と見え、また、同書に「御几帳菖蒲の末濃《すそご》にて…」とあって、「菖蒲」はこの時代に広く用いられた色目であった。しかし、菖蒲を名乗る女房装束の襲色目は『満佐須計装束抄』や其他の装束抄にも見えていない。

① 『本草綱目啓蒙《ほんぞうこうもくけいもう》』本草学の書。小野蘭山著。亨和三年（一八〇二）成立。

45 破菖蒲《はしょうぶ》　はさうぶ

表萌黄・裏紅梅。『色目秘抄』別説、表萌黄・裏青、他一説。着用時期、五月。

破菖蒲の「破」は「葉」を指す。その配色から、これは前出の「菖蒲」の葉に破をあてて別種の色目としたものであることがわかる。重色目の名称には、基本名にこうした意味ありげな形容名をつけたものがあるが、それは後に現われたものと思われる。「破菖蒲」の衣は平安文学には見られない。

46 若菖蒲《わかしょうぶ》　わかさうぶ

表淡紅・裏青。『薄様色目』
別説、表青・裏淡青、他二説。
着用時期、夏。

若菖蒲の色を表わしたもので、ここではその若狭を淡紅で表わしたものと思われる。これも前掲の「破菖蒲」と同じく、菖蒲の印象を「若」の名で新鮮にし、菖蒲系統の色目の選択に巾をもたせたものであろう。これと同じ名称の襲色目の配合が『満佐須計装束抄』に見えている。

47 根菖蒲《ねしょうぶ》　ねさうぶ

表白・裏濃紅。『薄様色目』
別説、表白・裏紅梅、他一説。
着用時期、夏。

菖蒲の根を表わした色目である。根の色が重色目にとり上げられるのは、それが、茎や葉と共に身体をあたためる薬効があると信じられていたからだろう。そのためか、平安時代ではその根に関心がもたれ、五月五日の端午の節句には「根合わせ」といって、菖蒲の根の長短をくらべあわせ、歌をよみそえたりした。『今鏡』に、「寛治七年（一〇九三）五月五日菖蒲の根合為させ給ひ」と見えている。しかし、「根菖蒲」の色目の衣は平安文学には見えていない。

48 菖蒲重《しょうぶがさね》 さうぶがさね

表菜種（黄）・裏萌黄。『藻塩草』
別説、表青・裏白、他一説。
着用時期、五月。

前掲の菖蒲に因んだ色目であるが、これに「襲」をつけて「菖蒲」と別の色目にしたものである。この色目の衣は『源氏物語』に「菖蒲襲のあこめ」、『栄花物語』に「菖蒲襲の織物」と見えている。ここでの「襲《かさね》」は、衣の表・裏の重色目を指し、装束の襲色目のことではない。

49 薔《そう》薇《び》 さうび

表紅・裏紫。『薄様色目』
別説、表紅・裏紅。
着用時期、夏。

薔薇すなわち、バラの花の色を表わした色目であるが、この頃の薔薇は中国原産の四季咲き「長春バラ」の類である。薔薇の名の薔は墻《しょう》、即ち垣根、薇は靡《び》、なびくことで、花が垣根にからむことからつけられた名である。「そうび」は「ショウビ」の音読が変化したもので、平安時代にはこの木を邸内に植えて花を観賞したことが『源氏物語』「乙女」や、『栄花物語』「たまのうてな」の条に見えている。しかし、「薔薇」の衣を記したものはこの時代の文学にはない。その長春薔薇を許六は「紅白うつくしく粧ひたるには似たれど、元来いやしき花の、殊にさかり久しきこそうたてけれ。」と、五十近くまで派手な姿でいる辻君（売春婦）にたとえている。

50 橘《たちばな》

表濃朽葉・裏黄。『薄様色目』
別説、表朽葉・裏黄、他一説。
着用時期、夏。

色づいた橘の実の色を表わした色目である。橘はコウジ蜜柑の古名で、その名の由来は、『書記』垂仁天皇の条に、「天皇、田道間守《たぢまもり》に命《みことおほ》せて常世国に遺して非時《ときじく》の香菓《かくのみ》を求めしむ。今橘と謂ふは是なり」と記されている。タチバナは「タヂマバナ」の約転かという。橘の実は古代ではその花と共に賞翫され、『枕草子』に、「花の中より黄金の玉かと見えて、いみじうあざやかに…」と記されている。橘を詠んだ古歌は多いが、それに因んだ「橘」の色目の衣は平安文学には見当らない。

わが園の花橘の色見れば
黄金の鈴のなれるなりけり
顕仲

51 花《はな》橘《たちばな》（盧橘）

表朽葉・裏青。『胡曹抄』
別説、表黄・裏青、他八説。
着用時期、五月。

橘は普通、実を主とする時はただ、橘、花を主とする時は花橘という。「花橘」の色目は、初夏、快い香を放って清らかに開く橘の花を表わしたものである。その色目は『右京大夫家集』の詞書に「花たちばなのうすやうにて」と見えているが、それは薄様紙のことで衣の記事は平安文学には見当らない。「花橘」は重色目のほか、装束の襲色目（『満佐須計装束抄』）にも見えている。

さ月まつ花橘の香をかけば
昔の人の袖の香ぞする

『古今和歌集』　よみ人しらず

52 撫子《なでしこ》（瞿麦）

表紅・裏淡紫。『色目秘抄』
別説、表紅梅・裏青、他十二説。
着用時期、四、五月、或いは六月も。

夏の草叢に可憐に咲く撫子の花を表わしたものである。撫子は「大和撫子」、「河原撫子」とも呼ばれ、また、その花の時期が長く、春より秋まで咲きつづけることから「常夏《とこなつ》」とも呼ばれる。「ナデシコ」の名は、①『大和本草』に「花の形ちひさかにて其愛すべきを以て名く」とあり、その形姿を可愛いい児に見たててつけられたものである。撫子の花は『枕草子』に、「草の花は撫子、唐のはさらなり、大和のも、いとめでたし。」と評されている。「撫子」の色目の衣は、『宇津保物語』に「なでしこのうちぎ」、『源氏物語』に「なでしこの細長」、『夜の寝覚』に「撫子の唐衣」、『今昔物語』に「瞿麦重ノ薄物ノ袙《ナデシコカサネ》」など、平安文学に多く見えている。「撫子」を名乗る色目は、他に「白撫子《しろなでしこ》」・「花撫子《はななでしこ》」・「韓撫子《からなでしこ》」・「撫子の若葉色」がある。撫子の名は装束の襲色目にも見えている。

常夏のこれにしく花なかりけり
まがきに咲ける大和撫子

堀川院百首

①『大和本草《やまとほんぞう》』本草学の書。十一巻。貝原益軒著。鉱物・草木・魚貝・鳥類・獣類全般に亘って解説。宝永五年（一七〇八）成立。

53 唐撫子《からなでしこ》（韓撫子）

中国渡来の撫子（別名・石竹《せきちく》）の花の色を表わしたもので、それに冠した唐は、新来の種の意で、在来種の「大和撫子」に対してつけられたものである。「唐撫子」の色目の衣は『宇津保物語』に「からなでしこのからあやのうちぎひとかさね」、『狭衣物語』に「唐撫子の浮線綾の御指貫」と見えている。

表紅・裏紅。『薄様色目』
別説、表紫・裏紅。
着用時期、夏。

54 蟬《せみ》の羽《は》

蟬の羽色に象った色目である。平安時代にあらわれた色名で動物に因んだものは「玉虫色」（織色）と「蟬の羽」（重色）くらいのものである。その色目の名を『桃花蘂葉』は「裏のなきすずしの惣名を、蟬の

表檜皮色・裏青。『薄様色目』
別説、表濃紫・裏青。
着用時期、夏。

羽色といへり。」とのべており、夏の薄衣に広く用いられたようである。蟬は夏の風物として平安時代の物語や和歌にとり上げられており、『源氏物語』「常夏」に、「西日になる程、蟬の声なども、いと苦しげに聞ゆれば、」とある。

あけたてば蟬のおりはへなきくらし
よるは螢のもえこそわたれ

『古今和歌集』よみ人しらず

55 夏萩《なつはぎ》

表青・裏濃紫。『薄様色目』
別説、表青・裏紫。
着用時期、夏。

緑色の小葉の間に紫紅色の花を咲かせた夏萩を象った色目である。萩は一般に秋の花とされ、歌にも秋萩を詠んだものが多く、夏萩のものは少ない。それだけに、夏萩は季節に先立つ萩として珍しくながめられたであろう。

露にだに心おかるな夏萩の
下葉の色よそれならずとも

『風雅集』

56 萩《はぎ》（芽子）

表紫・裏白。『色目秘抄』
別説、表蘇芳・裏青、他十説。
着用時期、六、七月。

秋の山野に紫紅色の花を咲かせる萩の花色を表わしたものである。昔の萩は今、「山萩」と呼んでいるもので、そのやさしい姿・色は古くから愛好され、秋の七草の一つとなっている。「萩」の文字形成は、その草が秋を代表する意から、秋に草かんむりをつけたもので、国字である。万葉歌では「芽子《はぎ》」と書かれている。その用字は、古株から芽を出す「生芽《はえき》」から来ているという（『萬葉植物新考』）。『枕草子』に、「萩、いと色深う、枝たをやかに咲きたるが、朝露に濡れてなよなよとひろごり伏したる。」と、その姿が描写されている。許六は「萩はやさしき花也。さして手にとりて愛すべき姿はすくなけれど、萩といへる名目にて人の心を動かし侍る。」とのべている。「萩」の色目の衣は『夜の寝覚』に「萩の小袿」、「萩の御衣」が見え、『栄花物語』に「萩の唐衣・裳」など、平安文学にはよく見えている。「萩」を名乗る色目は他に、「萩の経青《たてあお》」・「萩重《はぎがさね》」がある。

あきはぎの花さきにけり高砂の
おのへの鹿は今や鳴らむ

『古今和歌集』　藤原としゆきの朝臣

57 萩経青《はぎたてあお》　はぎたてあを

表の色を、経糸青、即ち緑に、緯糸を蘇芳の赤にとって玉虫調にした織物の色目で、この色目も萩に因んだものである。重色目の他、装束の襲色目にもその名のものがある（『女官飾鈔』）。

表経青緯蘇芳・裏青。『胡曹抄』
別説、表経青緯紫・裏青。
着用時期、六月より秋

58 萩《はぎ》重《がさね》

萩の花の重なりを紫と二藍で表わしたもので、これは萩の色目に選択の巾をもたせたものである。「萩重」の衣は『堤中納言物語』に「萩重の織物の袿」が見え、『夜の寝覚』には「萩がさねの紙」の薄様色目が見えている。

表紫・裏二藍、『薄様色目』
別説、表紫・裏淡紫、他一説。
着用時期、秋。

59 花《はな》薄《すすき》

花をつけた芒《すすき》の穂を象った色目。すすきは「尾花」とも書かれるが、それは、花が穂に出た時の有様を形容した名である。薄《すすき》の花の色は白く単調だが、穂波が秋風にそよぐ姿は昔から和歌や文学に感傷的

表白・裏縹。『色目秘抄』
別説、表白・裏淡縹。
着用時期、秋初。

に表現されている。衣の色目の名は、『宇津保物語』に「おばな色のほそなが（細長）」と見えている。

秋のゝの草のたもとか花薄
ほにいでゝ招袖とみゆらん

『古今和歌集』　在原むねやな

60　女郎花《おみなえし》（敗醤）をみなへし

表経青緯黄・裏青。『装束抄』
別説、表青・裏萌黄、他五説。
着用時期、七、八月。

秋の野に黄色い粟粒のような花を茎の先に群らがらせた女郎花《おみなえし》を表わした色目である。表の経青・緯黄の緑味の黄は花色を、裏の青は茎・葉の色を表わしたものである。「おみなえし」というのは、その姿や色が女性的なところから出た和名である。漢名は「敗醤」で、それを水に挿しておくと、醤が腐ったような異臭を発することからつけられたものという。「女郎花」の名は『落窪物語』に「女郎花色の細長」、『源氏物語』に「女郎花の汗衫」、『栄花物語』に「女郎花の唐衣・表着・几帳」など、所見が多く、この時代愛好の色目であるが、『鬼貫・独言』は、「女郎花は…寄添ひてしばし心をうつし見れば立ち退きがたし。たとへば、すげなき女の情深きが如し…」と見、『百花譜』は、「女郎花といふ花は、…花にしてはちと請取がたし。…此花百花に類する姿なし。古人蒸粟のごとしといへるは、草実のたぐひに比すべきか。茎も花も等しく黄にして下葉すくなによろめきたるは彼の比丘尼のたぐひとや見む。」と見ているのは面白い。

をみなへし秋の野風に打なびき
心ひとつをたれによすらん

『古今和歌集』藤原定方

61 朽《くち》葉《ば》

表濃紅・裏濃黄。『薄様色目』別説、表山吹色・裏黄、他五説。着用時期、秋。

朽ちた落葉の色を象った色目であるが、この時代の「朽葉」系統の色には、赤・黄・青の三系統がある。ここにあげる「朽葉」の色はそれらの基準となるもので、褐色味の黄橙色である。[1]『歴世服飾考』は朽葉色を「俗ニイフキガラチャ（黄唐茶）ニテ黄色ノウルミタルナリ」と説いているが、「朽葉」には、染・織・重の表色法があり、その色調はそれぞれ違いがある。ここに掲げる重色目「朽葉」は赤味の強いものになっている。「朽葉」の色目は『落窪物語』に「朽葉の唐衣」・「朽葉のうす物の包」と見え、また、他の物語の記事などから当時の衣の色に愛用されていたことが知られる。

①『歴世服飾考《れきせいふくしょくこう》』八巻。田中尚房著。日本の衣服制度の沿革を解説した書。明治二十六年（一八九三）、吉川弘文館刊。

62 青朽葉《あおくちば》　あをくちば

表経青緯黄・裏青。『胡曹抄』
別説、表黄・裏青、他十一説。
着用時期、主に秋。

緑味を帯びた朽葉の色を象った色目。朽葉系統の色目はこのほか、「赤朽葉」・「黄朽葉」がある。この「青朽葉」の色目は、表が萌黄の織色になっており、染色の青朽葉より黄味の強いものになっている。一般に重色目では表の色が主体となり、裏色がかすかに表の色に影響をあたえるから、「青朽葉」では表の萌黄色が主体的にあらわれるわけである。そういう「青朽葉」の衣は平安時代に愛用されて、『夜の寝覚』に「青朽葉の織物の袿」、『栄花物語』に「青朽葉の唐衣」などが見えている。「青朽葉」の衣の着用時期は一欄表に見るように一定しないが、本書では朽葉系統の色として「秋」の部に入れることにした。

63 赤朽葉《あかくちば》

表経紅緯洗黄・裏黄。『四季色目』
別説、表経淡紅緯黄・裏黄。
着用時期、秋深くなっては着ず。

晩秋の頃、赤く色づいた朽葉の色を表わした色目である。それは先に掲げた「朽葉」に似ているが、色譜ではそれよりはなやかなものになる。「赤朽葉」の衣は『源氏物語』に「赤朽葉の羅のかざみ」、『かげろふ日記』に「うすもの丶あかくちばをきたるを…」と見えている。

64 黄朽葉《きくちば》

表朽葉・裏朽葉。『四季色目』
別説、表黄・裏朽葉。
着用時期、秋末冬初。

赤朽葉、青朽葉と共に「朽葉」の変相色で、晩秋、黄ばんだ朽葉の色を表わしたものである。「黄朽葉」の衣の記事は、『宇津保物語』に「きくちばのからぎぬひとかさね」、『枕草子』に「黄朽葉の織物、薄物などの小袿着て」と見えている。織物の黄朽葉は赤朽葉に似て、表を経淡紅緯黄・裏を黄にとり、わずかに黄味を強めている。

65 龍《りん》膽《どう》 りんだう／りうたん

表淡蘇芳・裏青。『雁衣鈔』
別説、表蘇芳・裏萌黄、他三説。
着用時期、秋。九月より五節。

秋の野に紫碧色の花を咲かせた龍膽を表わしたものであるが、この色目は実物の色よりはなやかなものになっている。裏の青（緑）は勿論茎・葉の色。「龍膽」の衣の記事は『宇津保物語』に「りんだうのをりものゝうちぎ」、『狭衣物語』に「龍膽《りんだう》の表着」、『栄花物語』に「龍膽《りんだう》の上の袴」、「龍膽《りんだう》の唐衣」など、平安文学にはその所見は多い。龍膽は別に、「笹龍膽《ささりんどう》」と呼ばれる。それは葉の形が竹笹に似ているからである。

66 小栗色《こぐりいろ》

表秘色・裏淡青。『満佐須計装束抄』
別説、表瑠璃色・裏淡青、他二説。
着用時期、秋。老者五位之を着る。

この色目は『満佐須計装束抄』「かりぎぬいろ〳〵やう〳〵」に、「秋はひそくにうすあをうらつけて、こぐりいろとておとなしき人はきるなり。…」と見えている。この装束抄は別に『仮名装束抄』といわれ、文章が仮名書きになっているため、こぐりいろが小栗色とも濃栗色とも解されるが、その表の色から見て、未熟の小栗の色を表わしたものであろう。『群書類従』①にも小の解字があてられており、本書も「小栗色」とした。但し、『四季色目』には「濃栗色」とあることを附記しておく。

①『群書類従《ぐんしょるいじゅう》』我国の古書を集輯した叢書。正篇五三〇巻、続篇千巻。塙保己一編、安永八年（一七七九）―文政五年（一八二二）刊行完了。

67 落栗色《おちぐりいろ》

表蘇芳 黒味深シ・裏香。『薄様色目』
別説、表濃紅・裏香、他一説。
着用時期、秋。

みのり落ちた栗の色を表わした、暗い赤褐色をいう。その色調は『花鳥余情』①に「落栗トハ濃紅ノ黒ミ入タルホドニ染タルヲ云ベシ。」とある。その織色は『藻塩草』に「栗色、赤黒シ、経ハ紫、緯ハ紅ナリ。」とあって、色譜の説と大体同じである。「落栗色」の衣の記事は『源氏物語』「行幸」に、「青鈍の細長一襲、落栗とかや、何とかや、昔の人のめでたうしける袷の袴一具…」と見えており、当時愛好の色目だったことがわかる。

①『花鳥余情《かちょうよじょう》』三十巻。源氏物語の注釈書。一条兼良著。文明四年（一四七二）成立。

68 荻《おぎ》 をぎ

表蘇芳・裏青。『装束抄』別説、なし。
着用時期、秋。

湿地に生える荻の茎の先に出ている褐色の花穂と、緑の茎葉を表わした色目である。荻は一名「おぎよし」、また、浜辺に生えるものは「はまおぎ」とも呼ばれる。荻の花穂は芒《すすき》に似ているが、色も大きさも異なる。荻の花穂が秋風にそよぐところは風情があり、和歌にも詠まれているが、その色目の衣の記事は日記・物語に見当らない。その色目があらわれるのは平安以後ではあるまいか。

荻の葉の戦ぐ音こそ秋風の
人に知らるる始めなりけれ

『拾遺集』 貫之

69 檀《まゆみ》（真弓）

山野に自生する落葉樹、檀の紅葉を表わしたものである。檀は初夏の頃淡緑の花を咲かせ、秋に淡紅色の実をつけ、紅葉する。その美しさは和歌に詠まれているが、「檀」の衣の記事はまだ見られない。檀は「真弓」とも書かれる。それは昔、この木で弓をつくったからである。

引よせてみれどあかぬは紅に
ぬれるまゆみのもみぢなりけり

『古今和歌集』 貫之

表朽葉・裏萌黄。『薄様色目』
別説、表蘇芳・裏黄。
着用時期、秋。

70 朝《あさ》顔《がお》（牽牛子）あさがほ

朝顔とは「朝の容花《かおばな》」の意で、朝に美しく咲く花をいい、本来は特定の植物名ではない。前代の万葉の頃は桔梗の花をいったが、平安時代初期に槿《むくげ》の花が渡来し、これを「あさがほ」と呼ぶようになった。その後、同じ外来種の牽牛子《けんごし》の花色が美しいことからこれを朝顔と呼ぶようになり、今日に至っている。牽牛子は中国から薬用として渡来したが、後にはその花も観賞されるようになった。花の色は当初は碧・

表縹・裏縹。『薄様色目』
別説、表空色・裏空色、他一説。
着用時期、秋。

白の二種だったが、重色目には碧の方がとり上げられている。しかし、「朝顔」の衣の記事は平安文学に見えていない。許六は、「朝顔の盛すくなきは、よき女の常は病がちに打なやみ、…たまく空晴きり朝日さし出たるに、心地よげに打粧ひ、衣裳などあらためてほのめき出たるには似たり。」という（『百花譜』）。

71 忍《しのぶ》

表淡萌黄 黄気アリ・裏蘇芳。『色目秘抄』
別説、表淡萌黄・裏青、他一説。
着用時期、秋。

樹皮・岩面或いは古い屋根瓦などに生える羊歯類の一種。忍草に象った色目である。忍草の葉は緑色で厚く、横に這ったその根茎から並んで生え、その淡緑の葉裏の両側には褐色の斑点が並んでいる。「忍《しのぶ》」の色目はその根茎と葉の色とを表わしたものである。忍草は『枕草子』に「しのぶ草いとあはれなり。屋のつま、さし出でたる物のつまなどに、あながちに生ひ出でたるさま、いとをかし。」と記されている。しかし、「忍」の衣の記事はこの時代の文学には見えていない。衣の色目ではないが、「忍ぶ捩摺《もぢずり》」の記事は文学にしばしば見られる。これは忍草の蔓や葉のもぢれみだれた文様の青摺の布をいったものである。

我宿は軒のしのぶしげれれば
ふけるあやめもみえぬけふ哉
堀川院百首

72 紫《し》苑《おん》　しをに

菊科の草、紫苑の花の色を表わした色目。紫苑は秋、茎の先端に多くの淡紫色の花を開き、色が美しいことから庭園に植えて観賞された。色譜の表・裏はその花色を表わしているが、別説では花と葉の色を表わしている。紫苑の古名は「シオニ」で、これは字音の「シオヌ」が転訛したものという。「紫苑」の色目の衣は『宇津保物語』に「しをん色のおり物のさしぬき」、「しをんいろのあやのほそなが」、『源氏物語』に「紫苑色の折にあひたる、うす物の裳」、その他、この時代の物語・日記に多く見えている。右に見るように、紫苑の衣には織色もあるが、それは「薄色」と同じ手法によったと思われる。

表紫・裏蘇芳。『薄様色目』
別説、表薄色・裏青、他三説。
着用時期、秋。

73 桔《き》梗《きょう》　きちかう

秋の山野に瑠璃色の愛らしい花を開く桔梗を表わした色目である。桔梗の名は平安時代になって呼ばれるようになるが、それ以前、万葉の時代では「アサガホ」と呼ばれていたことは、先に述べた通りである。「桔梗」の衣は『宇津保物語』に「きかう色のをり物のほそなが」、『栄花物語』に「桔梗《きちかう》の表着」、と見えている。桔梗の花は古来秋の七草の一つに数えられている。許六は其のおもむきを、「桔梗は其色に目をとられり、野草の中に思ひかけず、咲き出でたるは、田家の草の戸に、よき娘見たる心地ぞする。」

表二藍・裏濃青。『薄様色目』
別説、表二藍・裏青、他五説。
着用時期、秋。

と評している。

74 藤《ふじ》袴《ばかま》 ふぢばかま

表紫・裏紫。『薄様色目』
別説、表淡紫・裏淡紫。
着用時期、秋。

この草は漢名「欄草《らに》」、和名「フジバカマ」。藤袴の名について『和訓栞』は、「花の色をもて藤と称し、その弁の箭をなせるをもて袴とす。」と説いている。その葉は良い香があり、秋、茎の先端に淡い紅紫色の筒状の花を群がり咲かせる。その香と色から、古来、秋の七草の一つに数えられており、『徒然草』に、「秋の草は、萩、すすき、ききょう、荻、女郎花、ふぢばかま」と記されている。平安文学では『大和物語』や『古今和歌集』にも見え、また、『源氏物語』に「藤袴」の一篇が設けられている。その中に、藤袴の歌、「同じ野の露にやつるゝ藤袴…」の一首が詠まれており、その名は他の物語にも見えている。重色目の「藤袴」はその花色を象ったものである。しかし、その色目の衣は平安文学には見当らない。

宿りせし人のかたみかふぢばかま
わすられがたき香に匂ひつつ

『古今和歌集』 貫之

75 鴨頭草《つきくさ》（月草）

表標・裏淡標。『藻塩草』
別説、表標・裏標。
着用時期、秋。

野原や路傍に自生する鴨頭草の花色を表わした色目である。その表・裏の色となっている「縹《はなだ》」の名は、もと鴨頭草（今の露草）の花汁で摺染したことからつけられたものという。この草は「月草」とも書かれ、後には「露草」・「あをばな」・「移《うつ》し花《ばな》」と呼ばれる。『大和本草』に、「花の形は鳳仙花に似て碧色なり。和名月草とも露草とも云…又和名ウツシバナとも云。」とある。鴨頭草の色摺の記事は『宇津保物語』に、「あを露くさしてらうずりにすりて、」と見え、『源氏物語』には「このごろ摘み出だしたる花して、はかなく染め出で給へる、」と見えているが、重色目としての「鴨頭草」はこの時代の文学にはまだ見えていない。

月草に衣はすらむあさ露に
　ぬれてのゝちはうつろひぬとも
『古今和歌集』　よみ人しらず

76 梶《かじ》（楮）かぢ

表萌黄・裏濃萌黄。『薄様色目』
別説、表萌黄・裏萌黄。
着用時期、秋。

梶は暖地に自生する落葉樹で、その樹皮は製紙の原料となることから「紙《かみ》の木」ともいわれる。葉は大きく、昔、七夕祭に詩歌をこの葉に書きとめて星の神に奉ったという。また、この葉を象って紋章をつくり、或いは食物を盛るにも用いたことが古記に見えている。重色目の「梶」はその葉の色を表わしたものであるが、その色目の衣の記事は平安文学には見えていない。

かきつくる梶の七葉に思ふこと
猶あまりある秋の夕暮

『夫木和歌鈔』 入道前太政大臣

77 櫨《はじ》

表朽葉・裏黄。『四季色目』
別説、表赤色・裏黄、他五説。
着用時期、秋九月より十一月まで。

この時代の櫨、即ち山櫨《やまはぜ》は秋になると葉が黄味赤に色づき、その美しさは古来多くの歌に詠まれている。櫨の木の黄みを含んだ心材は櫨染の染料として用いられ、その染色は深い暖かみのある黄色になる。その染糸で織った「櫨の織物」の記事は『宇津保物語』に見えており、『栄花物語』には「櫨緂の紐」

が見えているが、重色目の「櫨」の色は、櫨の葉が紅葉したところを表わしたもので、同書に、「薄様・もみぢ葉・櫨、又紅にて、裏は色々なるも著、」と見えている。

山深み窓のつれ〴〵とふものは
色づきそむるはじの立枝　　西行

78 紅葉《もみじ》 もみぢ

表赤色・裏濃赤色。『雁衣鈔』
別説、表黄・裏蘇芳、他五説。
着用時期、秋。

晩秋に、楓の葉が霜にあって紅葉したところを表わした色目である。「もみぢ」の語は「色を揉《も》み出づる」ことの意で、本来は特定の木の紅葉を指すものではない。木々の紅葉は黄色から赤、紅へと変って行くが、紅葉の中では楓が最も美しく色づくことから、いつしか楓をもみじと呼ぶようになった。ここでの紅葉《もみじ》も楓をさし、色々な木の紅葉を指すのではあるまい。「紅葉」の衣は平安文学には『狭衣物語』に、「紅葉襲《もみぢがさね》」が、また『今昔物語』には「紅葉の文様の二重織物の衣」などが見えており、その衣の記事は多い。

ちらねどもかねてぞおしきもみぢばゝ
今は限の色とみつれば

『古今和歌集』　よみ人しらず

79　黄紅葉《きもみじ》　きもみぢ

表黄・裏濃黄。『色目秘抄』
別説、表萌黄・裏蘇芳、他五説。
着用時期、九、十月。

秋深く、深山の楓が黄色に色づいたところを表わした色目であろう。黄葉するのは櫨も同じであるが、「紅葉」の項でのべたように、楓は秋の紅葉を代表するもので、万葉歌に「黄変《もみ》つ鶏冠木《かへるで》」と詠まれている。重色目の「黄紅葉」は鶏冠木、即ち楓の黄紅葉を指すものと思われる。しかし、その色目の衣や、染・織の記事はこの時代の日記・物語に見えていない。それが色目にあらわれるのは中世以降ではあるまいか。

わが屋戸に黄変《もみ》つ鶏冠木《かへるで》見るごとに
妹を懸けつつ恋ひぬ日は無し

『万葉集』「秋相聞」　大伴田村大嬢

80 青紅葉《あおもみじ》　あをもみぢ

表青・裏朽葉。『薄様色目』
別説、表萌黄・裏黄、他七説。
着用時期、秋。

この色目は秋になって漸く色づき初めた木々の葉を背に、まだ色づいていない青葉を表わした色目である。その紅葉の木もおそらく楓であろう。「紅葉」とは葉の色味に拘らず楓を指すことが『装束色彙』の「紅葉」の項に、「紅葉ト云ハ、青紅葉以下ノ色々ヲ通ジテ称スルコトヽ見エタリ。」とあり、青紅葉の紅葉は楓のことと思われる。「青紅葉」の色目の記事は『右京大夫家集』詞書に「三位中将これものうへのもとより紅葉につけてあをもみぢのうすやうに」とあるが、これは料紙の色目のことで、衣色としての記事はこの時代の文学に見当らない。その色目は近代狩衣に用いられることが『雁衣鈔』に記されている。

81 櫨紅葉《はじもみじ》　はじもみぢ

表蘇芳 黒味アリ・裏黄。『四季色目』
別説、表淡紅・裏黄、他三説。
着用時期、九、十、十一月。

櫨の葉の紅葉を表わしたものである。櫨の紅葉は先に「櫨」(77)の項でのべたところで、色はそれとさしたるちがいはないが、配色上から見れば「櫨紅葉」の方が華やかである。この色目は、いわば基本の「櫨」の変奏色で、櫨系統の色目の選択の巾をもたせるためのものである。「櫨紅葉」の衣の記事は『今昔物語』に、「宮はうへ赤色にて、したざまに黄なる櫨紅葉の、十ばかり重なりたるに、」と見えている。

また、装束の襲色目の「はじもみぢ」は『満佐須計装束抄』に見えている。

鶉鳴く片野に立てる櫨紅葉
散らぬばかりに秋風ぞ吹く

親隆

82 楓紅葉《かえでもみじ》（蝦手紅葉）かへでもみぢ

表淡青・裏朽葉。『桃花蘂葉』
別説、表淡青・裏黄。
着用時期、九月より十一月。

名目上からは、紅葉した楓の葉を表わすようだが、色目の配合から見ると、色づき初めた頃の楓の葉色を表わしているように思われ、その名の「もみじ」は赤く紅葉した葉を指すのではあるまい。「楓紅葉」の色目の名は『満佐須計装束抄』にも見えているが、これは装束としての襲《かさね》の色目である。重色目の衣についてはこの時代の文学には記されていない。「かえで」はその葉が蛙の手に似ていることから「蝦手」とも、また、にわとりの鶏冠《とさか》に似ていることから「鶏冠木」とも書かれる。

83 初紅葉《はつもみじ》 はつもみぢ

表萌黄・裏淡萌黄。『薄様色目』
別説、表淡黄・裏青。
着用時期、秋。

春、楓の初出の葉色を表わしたものである。別説の色目は『装束色彙』が『深窓秘抄』①の説としてあげたものであるが、それには「花《ハツ》紅葉」と書かれている。「花」を「初」と読むのは、秋の紅葉以前に、楓には春のころ、紅色の花が咲き、花の後に実をつけ、楓に色を添えることから、と解される。しかし、この説は、『深窓秘抄』の正本には記載されておらず、正本の写しに、「右深窓秘抄行世既久然其中往々有可疑者…蓋他人借名以所作也読者可弁」とあって、疑わしいが、本書では別説としておいた。「初紅葉」の衣の記事は平安文学には見えていない。

①『深窓秘抄《しんそうひしょう》』装束の書。一巻。高倉永相著。永禄十一年（一五六八）成立。

84 白《しら》菊《ぎく》

表白・裏萌黄。『服飾管見』（中倍淡青）
別説、表白・裏蘇芳、他四説。
着用時期、九月より五節まで。

咲き匂う白菊を表わした色目で、表の白は花、裏の萌黄は葉の色を表わす。菊の色に因んだ色目は、他に、「黄菊」・「紅菊」・「蘇芳菊」があり、又、花を情況的に表わしたものには「移菊《うつろいぎく》」・「莟菊《つぼみぎく》」・「残菊《のこりぎく》」・「葉菊《はぎく》」・「九月菊《くがつぎく》」・「菊重《きくがさね》」・「花菊《はなぎく》」がある。他に、これらの基本名となっている「菊」があるが、その表・裏の配合は「白菊」と同じである。右のように、菊の色は色々だが、中国では古来、黄菊を菊の代表と見て、単に「黄花」という。わが平安時代の承和年中（八三四—四七）、仁明天皇が黄菊を賞翫したことから「承和菊《そがぎく》」と呼ばれ、その花色のような黄色は「承和《そが》色」と呼ばれた。「きく」は、その漢名を音読したもので、それがわが国に伝わったのは奈良時代末ごろという。菊花が伝わると貴族はその花を観賞すると共に、中国の故事から延年を祈る菊花宴が重陽の節（九月九日）に行われた。黄菊と共にわが国では白菊が広く賞翫されており、和歌に詠まれた菊の多くは白菊である。わが国では白菊が菊の代表とされていたからであろう。それを表わした「白菊」の色目の衣の記事は、『栄花物語』に、「唐の綾を白菊にて押し重ねて」、「置き惑せる白菊の袖の見えたるも」と見えている。それと同じ色目である「菊」の衣は、「菊の御衣」・「菊の織物」・「菊の裳」など、所見が多い。

心あてにおらばやおらんはつしもの
をきまどはせる白菊の花

『古今和歌集』　凡河内躬恒

85　移《うつろい》菊《ぎく》　うつろひぎく

表紫・裏黄。『薄様色目』
別説、表紫・裏青。他四説。
着用時期、冬。

冬近く、白菊が雪・霜に逢って花の周囲から段々と紫色に変っているところを表わした色目である。別説の中には表が淡紫や蘇芳となっているものもあるが、それらも菊花の色のうつろいを表わしたものである。この色譜や別説に裏が青・淡青・黄となっているのは、表の花に対して裏の葉を表わしたものと思われる。「移菊」の色目は『栄花物語』に、「色〱にうつろひたる菊の中を押しわけて、置き惑せる白菊の袖の見えたるもおかし。」と見えている。また『女官飾鈔』や『曇華院殿装束抄』の襲色目にもその名が見えている。白菊の移ろいの色を観察し、これを衣の色目に取り入れるということは、平安貴族が日常、自然の変化に対する関心の深さを示すものである。

霜枯に移ろひ残る村菊は
見る朝毎にめづらしきかな

内大臣家歌合、元永元年

86 莟《つぼみ》菊《ぎく》

表紅・裏黄。『薄様色目』
別説、表黄・裏濃青、他一説。
着用時期、秋。

菊花の莟の色を表わしたものである。その花色は何色ときまっているわけではないが、色譜では紅菊になっている。裏の黄色は背景の黄菊を表わしたものであろうか。これに対して、別説のそれは、黄菊と葉を表わしたものと思われる。このように、重色目の配合は見方によってちがってくるから、その色目の内容について考えて見る必要がある。「莟菊」の衣はこの時代の文学には見えていないが、その色目は次の紅菊と同じく後世になってあらわれたものであろう。

87 紅《くれない》菊《ぎく》　くれなゐぎく

表紅・裏青。『薄様色目』
別説、表紅・裏萌黄。（中倍淡青）
着用時期、秋。

紅菊の花と葉を表わした色目である。平安時代の代表的な菊の色は、さきに述べたように黄と白であって、ここに見るような鮮やかな色種の菊が見られるのは、後世、園芸品種が栽培されるようになってからである。したがって、その菊に因んだ「紅菊」の色目は平安時代にはまだあらわれておらず、当時の文学にも見えていない。その色目があらわれるのは後世になってからであろう。

88 蘇《す》芳《おう》菊《ぎく》　すはうぎく

表白・裏濃蘇芳。『薄様色目』
別説、表白・裏蘇芳。
着用時期、秋。

この色目は、さきに「移菊《うつろいぎく》」の項でのべたように、白菊が霜に逢って花の色が蘇芳色に変色しているところを表わしたものと思われる。色譜の裏が濃蘇芳となっているのはそれを強調したのであろう。

「蘇芳菊」の色目は、『桃花蘂葉』「白菊」の項に、「表白・裏蘇芳、又号二蘇芳菊一」とあって、「白菊」と「蘇芳菊」とを同色異名と見ている。「蘇芳菊」の色目は『栄花物語』に、「中に、薄様・もみぢ葉・櫨、又紅にて、裏は色〱なるも著、菊は蘇芳菊、」と見えている。

九重にうつろひぬともしら菊の

もとのまがきを思ひわするな

『新古今和歌集』　花園左大臣室

89 残《のこり》菊《ぎく》

表黄・裏白。『四季色目』
別説、表黄・裏淡青、他一説。
着用時期、秋。

冬近く、咲き残った黄菊と白菊の花を表わしたものであろうが、この色目は黄菊を主体（表）にした配合になっている。平安時代には九月九日の重陽の節に菊花宴を催すほか、十月上旬の頃に残菊の宴を催して菊花の美を惜しんだことがみえている。しかし、「残菊」の衣の色目はこの時代の文学には見られない。

今よりはまた咲く花もなきものを
いたくな置きそ菊の上の露

『新古今和歌集』　権中納言定頼

90 葉《は》菊《ぎく》

表白・裏紺青。『四季色目』
別説、表白・裏青、他三説。
着用時期、九月より五節。

白菊の花と葉を表わしたものである。この色目は単に、「菊」とも呼ばれるが、ここではその菊・に葉・

をつけて別種の色目としたのであろう。この色目も平安文学には見えていない。

91 九月菊《くがつぎく》　くぐわつぎく

表白・裏黄。『色目秘抄』
別説、なし。
着用時期、九月。

九月は「菊月」とも呼ばれ、黄菊・白菊が美しく咲き匂う月である。その月の九日の重陽の節には菊花宴が催されたが、この宴で中国の故事により菊花を酒杯に浮べて飲み、延年を祈るのである。中国の故事では、川の上流に咲いた菊花が水に流れ、その滋液を飲んで下流の者が長命を保ったという。そういう縁起をかついで、特に「九月菊」の色目がつくられた。しかし、この色目も後世のものと見えて、平安文学には見えていない。

92 菊《きく》重《がさね》

表白・裏淡紫。『薄様色目』
別説、表白・裏紫。
着用時期、秋。

この色目は『装束色彙』に、「菊ニ同ジカルベシ」とあるが、菊系統の色目の一つとして別個に上げられているので色譜にとり上げた。ただし、平安文学には「菊の御衣」(『夜の寝覚』)、「菊の五重の唐衣」(『紫式部日記』)などが見えているが、別に「菊重」の名はない。

93 花《はな》菊《ぎく》

表淡蘇芳・裏濃蘇芳。『四季色目』
別説、なし。
着用時期、秋。

名目からは、菊の花を表わす色目である。菊の花を代表するのは黄菊か、白菊と解するのが自然であるが、この色目の配合が蘇芳色の濃淡になっていることから、蘇芳色にうつろった菊の花（蘇芳菊）とも、或いは後世に栽培された西洋菊を表わしたものとも考えられる。「花菊」の色目は文学書は勿論、装束書にも所見はなく、管見では『四季色目』に見るだけである。その点では、これは近世のかなり新しい色目とも考えられる。

94 虫《むし》襖《あお》（虫青）むしあを

表青 黒味アリ・裏二藍。『色目秘抄』
別説、表青・裏濃薄《こきうす》色、他七説。
着用時期、秋より初冬、或いは冬。

「虫襖」の虫は玉虫のことで、玉虫の羽の色を模した色目である。『雁衣鈔』に「虫襖。一説為ニ玉虫色。但夏季着否」とあり、これは経青緑緯紫で織った「玉虫」の織色を模した色目である。虫襖の「襖」は、本来、装束の名称であるが、①『貞丈雑記』に、「襖の字付きたる色は皆青みある色と心得べし。襖は青の字の代に用いたる也」とある通り、色名には青と同意に用いられる。したがって「虫青」とも書かれる。又同音の「蒸青」と書かれることもある。虫襖の衣の記事は平安文学には見えていないが、鎌倉時代の『吾妻鏡』に、「虫襖上下」が見えているから、その頃あらわれた色目と思われる。

① 『貞丈雑記《ていじょうざっき》』有職故実に関する雑録。伊勢貞丈著。天保十四年（一八四三）成立。

【冬】

95 枯《かれ》色《いろ》

表淡香・裏青。『薄様色目』
別説、表白・裏薄色、他二説。
着用時期、冬。

冬枯れで野辺の草葉が淡茶色に変っている情景を表わしたもの。この色目に似たものに次にあげる「枯野《かれの》」があり、「枯色」と「枯野」は同一視されることがある。『装束色彙』に、「案ズルニ、桃花蘂葉ノ衣ノ色々ノ中ニ、枯色ト枯野ヲ別ニ挙タリ、然レドモ其名及其色ヲ考フルニ、枯色枯野一物歟。」とあり、又、「枯色」の表の色について、「案ズルニ香ハ黄ノ誤ナルベシ…枯色ト云名ニ拠レバ、表黄・裏青ト云者ノ義ニ近キ歟。」とあるが、本書の色譜では『薄様色目』、『雁衣鈔』、『色目秘抄』の諸説にしたがって、表淡香・裏青とした。平安文学にはその色目の名はない。

しぐれつつ枯れゆく野辺の花なれど
霜のまがきに匂ふ色かな

『新古今和歌集』 延喜御歌

96 枯《かれ》野《の》

野の面が雪・霜に逢って黄枯れてゆく、荒寥たる原野のさまを表わした色目である。「枯」を冠する色目にはこの他前掲の「枯色」があり、共に、情景的な色目であるが、「枯野」の衣は『狭衣物語』に、「この比《ころ》の枯野の色なる御衣どもの、」『枕草子』に、「唐衣は…秋は枯野」と見え、下って『増鏡』に、「枯野の御狩衣」が見えており、「枯色」よりも古い色目である。

霜がれはそこども見えぬ草の原
たれに問はまし秋のなごりを

『新古今和歌集』　皇太后宮大夫　俊成女

表黄・裏淡青。『薄様色目』
別説、表黄・裏白、他二説。
着用時期、冬。

97 氷《こおり》　こほり

氷のつめたい感じを白で表わした一見単調な色目であるが、表・裏の白に変化をあたえるため、砧《きぬた》で打って光沢を出したり、或いは糊引きしたり、瑩貝《ようがい》で磨いて光沢を出したりした。冬の衣につめたい「氷」の色目を用いたのは、他の場合と同様、重色目が季節の風物にしたがうことに重点をおいたからである。

表白・裏白。『雁衣鈔』
別説、表白打・裏白張、他四説。
着用時期、冬。

しかし、「氷」の衣は平安文学には見当らない。

98 氷重《こおりがさね》 こほりがさね

表鳥ノ子色・裏白。『四季色目』
別説、なし。
着用時期、冬。

前掲の「氷」と内容的にちがいはないが、この「氷重」の配合では表が鳥ノ子色になっている。鳥ノ子色はごく淡い灰味の黄色で、白との配合に変化をつけている。「氷重」の衣の記事はこの時代の文学には見えていないが、消息用の薄様紙の色目として、『狭衣物語』に、「御文は、氷の襲ねたる薄様にて、雪のいたう積りてしみ凍りたる呉竹の枝につけさせ給へり。」と見えているから、「氷重」の衣の色目もあったのではないかと思われる。

99 雪の下《ゆきのした》

表白・裏紅梅。『薄様色目』
別説、表白・裏紅、他一説。
着用時期、冬より春。

雪に埋れた紅梅の花を表わしたもので、「雪の下紅梅」ともいう。平安文学にこの衣の記事はないが、室町時代の『御伽草子』に、「雪の下がさねの、紅染の文もあり。」と見えている。

100 椿《つばき》

寒椿の花を表わした色目である。椿は万葉歌に「海石榴」と書かれているが、それに冠する「海」は海外より渡来の意である。椿という字は、春、花が咲く、春・木の合字で、それをツバキと訓むのは、葉に光沢がある、「艶葉木《ツヤバキ》」であるからという（『大言海』）。「椿」の色目はこの時代の文学に見えていないが、許六は『百花譜』に椿を地味で身持のよい妻にたとえ、「はでなる風俗をも似せず、ありがかりに家を治め、身を修むるを本とし侍れども、さすが女色なれば薄化粧に紅粉を絶さぬ身持のよき花なり」と評している。

表蘇芳・裏赤。『胡曹抄』
別説、表蘇芳・裏紅。
着用時期、五節より春。

【四季通用】

101 松重《まつがさね》

常磐木の松を象った季節を問わない色目である。表の青（緑）は松の葉色、裏の紫は木陰を表わしている。松は古来、四季を通じて変らぬ葉色と、風格のある形態の故に文学・美術の題材となり、めでたい木とされている。「松重」の衣の記事は『栄花物語』に、「松の葉がさね、青き打ちたる、同じ色の二

表青・裏紫。『雁衣鈔』
別説、表萌黄・裏紫、他十一説。
着用時期、四季。

重文に松の枝織りたる」と見え、下って、『増鏡』には「松がさねの狩衣」・「松がさねの下襲」が見えている。

よろづ代を松にぞ君を祝ひつる
千歳のかげにすまむと思へば

『古今和歌集』　素性法師

102　比《ひ》金《ごん》襖《あお》（比金青）ひごのあを

表青　黄気アリ・裏二藍。『四季色目』
別説、表青黄・裏二藍、他七説。
着用時期、常は用いず、一日晴に。

この色目の名「比金」の意味は定かではないが、『源氏物語』に見える「緋《ひ》金《ごん》錦《き》」即ち、緋色の金襴の類の錦の織物を指す借字で、「襖」は色名では青を指すから、「比金襖」は別説一覧表に見えている表経青黒緯黄で織った錦織の色ではないかと思われる。重色目の「比金襖」の表の色はその織色のような萌黄系統の色である。この色目の衣は平安文学には見られないが、『大平記』に、「浮《ふ》線《せん》綾《りょう》ノ比金襖ノ狩衣、珍シクゾ見ヘタリケル」とある通り、中世にあらわれたものである。

103 脂燭色《しそくいろ》

表紫・裏紅。『色目秘抄』
別説、表紫・裏紅 濃シ、他一説。
着用時期、四季。

脂燭とは昔、照明に用いた松明《たいまつ》のことで、その材料の老松の心材は油脂を多く含んでいる。「脂燭色」はその心材の油脂の色を表わしたものである。この色目を表わすには、重色のほか織色があり、織色では、経紫緯紅で織られる。その色調は大体重色と同じで赤紫系統の色になる。『桃花蘂葉』には「脂燭色、火色ニ同ジ」と記されているが、平安時代では、火色といえば、淡紅の色を指すから、「脂燭色」とは色調が少し異なる。この色目があらわれるのは平安時代以後であろう。

104 今様色《いまよういろ》　いまやういろ

表紅梅・裏濃紅梅。『四季色目』
別説、なし。
着用時期、四季。

染色の今様色に因んだ色目である。今様色の色調について①『源氏男女装束抄』は、「今様色とは紅のうすき、ゆるし色をいへり。濃き色は禁制にして、今此色程にはゆる（聴《ゆ》る）と、ためし色（様色、標準色）を給ひたるを今様色と云へり。」という。当時紅染の濃染は禁制で禁制の標準を「一斤染《いっこんぞめ》」（紅花大一斤で絹一疋を染めた時の色）においたことから、今様色はそれに近い、紅梅と濃紅梅との中間程度の色であって、重色目の「今様色」もこれに近いものになっている。これに対して『花鳥余情』は、「今様色トハ紅梅ノ濃ヲ云也。譬ヘバ濃紅ニモ非ズ、色又紅梅ニモアラズ、半《ハシタ》ノ色ニテ此比《コノゴロ》出来ル色ナレバ今様色ト云ル、大略聴色ト同ジキナリ」といい、その色調は上記よりも濃く、名称の由来もちがって解されている。「今様色」の衣は『宇津保物語』に、「いまやう色のうちぎ一かさねそへて」、また、『源氏物語』に、「今様色の御衣ひきかさねて」など見えている。

① 『源氏男女装束抄《げんじなんにょしょうぞくしょう》』源氏物語各巻の中に記された男女装束・色目を考証した有職故実書。月村斎宗碩著。永正十三年（一五一六）以前の成立。壺井義知補。享保二年（一七一七）版。

105 葛《くず》

表青 黒気アリ・裏淡青。『色目秘抄』

別説、なし。

着用時期、四季。

地を這い、また、他の植物にまきついて伸び拡がる蔓草、葛の茎・葉を表わした色目である。葛は初秋に紅紫の花を咲かせ、秋の七草の一つにかぞえられているが、花は色目に表わされていない。四季通用の色目は花に関係ないからである。葛の葉の表は粗毛に被われた濃い緑、裏は淡緑色で、その野生的たくましさや、それが風に吹き返る姿は和歌に詠まれており、『枕草子』には、風に吹き返った葉裏の白の面白さが記されている。しかし、「葛」の色目の衣は平安文学には見えていない。

106 苦《にが》色《いろ》

苦色とは、香色（黄茶）の黒味を帯びたもので、文字通り苦味のある色である。重色目の「苦色」は、この色を表にし、裏を二藍色にしてその効果を強調したものである。『四季色目』によると、この色目の着用は十歳より二十歳までで、聟取《むことり》や移徙《わたまし》（移住）の時は忌んで用いないとのことである。「苦色」の衣は平安文学には見えていない。

表香 黒味アリ・裏二藍。『四季色目』
別説、なし。
着用時期、四季。

107 海《み》松《る》色《いろ》

この色目は、海中の岩に生える海藻、海松（漢名水松）の色を表わしたものである。海松色は本来、萌黄色の黒ずんだ渋みのある色であるが、重色目ではこれより冴えた色になっている。海草の海松は食用に供され、その文様は奈良時代から見えているが、「海松色」の色目は平安時代にはまだ見えていない。その衣の記事は『太平記』に、「海松色ノ水干着タル調度懸六人」とあり、その色目があらわれるのは中世からと思われる。

表萌黄・裏縹。『四季色目』
別説、表濃萌黄・裏淡萌黄、他八説。
着用時期、四季、祝、或いは秋。

108 檜皮色《ひはだいろ》　ひわだいろ

檜の皮色を模した色目である。檜皮色は蘇芳色を黒ずませた赤褐色であるが、この重色目ではそれより赤みの強いものになっている。「檜皮色」の色目は、『宇津保物語』に、「ひわだ色、さくらがさねをしなべて」、「ひはだのからきぬ」、『源氏物語』に、「檜皮色の紙のかさね」など、衣や薄様紙の色目に見えている。

表蘇芳・裏二藍。『雁衣鈔』
別説、表檜皮色・裏檜皮色、他十二説。
着用時期、四季。

109 葡萄《えびぞめ》　ゑびぞめ

エビカヅラ即ち、山葡萄《ぶどう》の色を模した色目である。染色では、紫根による赤みの淡い紫をいうが、織色は経紅又は赤、緯紫で、重・染・織の色には多少のちがいがある。「葡萄」の色目の衣は『宇津保物語』に、「えびぞめがさね」、『源氏物語』に、「葡萄の下襲」、『紫式部日記』に「葡萄染の織物の小袿」など、この時代の日記・物語での所見が多い。

表蘇芳・裏縹。『胡曹抄』
別説、表青・裏濃紅梅、他二説。
着用時期、四季。

110 蘇芳香《すおうのこう》 すはうのかう

表蘇芳・裏黄。『色目秘抄』
別説、表蘇芳・裏黄 赤味アリ。
着用時期、四季。

染色の蘇芳香を模した色目をいう。これは、蘇芳の赤に黄を加えた紅褐色であるが、重色目の蘇芳香も裏に黄を合わせるから、その色目は染めの色に似たものになる。蘇芳香の染色は本来は蘇芳と丁子を用いたものであるが、香染の材料の丁子が高価なため、一般には丁字の代りに黄の染料を用いている。「蘇芳香」の重色目はその代用染の色によったもので、本来の染色よりはなやかなものになっている。その色目の記事は平安文学には見られないが、それをあげている『装束抄』の年代から見て、室町時代頃にあらわれたものではないかと思われる。

111 二《ふた》つ色《いろ》

表薄色・裏山吹色。『四季色目』
別説、なし。
着用時期、四季。

二つ色とは、本来は同色の衣を二つづつ重ねる女房装束の襲色目の名で、『満佐須計装束抄』にそのかさね方が示されている。ここにあげた「二つ色」はそれを衣の表・裏にあてはめたものである。装束の襲《かさね》では、うす色二、うら山吹二、もえぎ二となっているが、衣の重色では萌黄を省いている。二つ色は文字通りいえば何色をとってもよいわけだが、色目の上では上記の定めになっている。装束の襲色目については後に述べてある。

112 胡桃色《くるみいろ》

表香・裏青。『四季色目』
別説、なし。
着用時期、四季。

胡桃染の色に因んだ色目。胡桃染は、山野自生の胡桃の樹皮や果皮で染めた、灰みの黄褐色である。この染色は奈良時代から染紙に行われており、平安時代には『枕草子』に、「胡桃色といふ色紙の厚肥えたるを、」、『源氏物語』に、「高麗の胡桃色の紙に、」などと見えている。一方、重色目の「胡桃色」の衣は『多武峯少将物語』に、「くるみ色の御直垂」と見えている。

113 秘色《ひそく》

表瑠璃色・裏薄色。『四季色目』
別説、表瑠璃色・裏淡青。
着用時期、四季。

秘色とは、本来は焼物の青磁《せいじ》のことで、古くは「あをじ」（青瓷）と呼ばれている。その美しい肌色を模した色が色名上「秘色」と呼ばれている。秘色の名の由来について『嬉遊笑覧』[①]は、「秘色とは人巧の及びかたき色をいふ義也。…其色鮮碧にしてよの常なるとは異なるべし。」とのべている。青磁の肌色は淡い微妙な青色で、濃淡にもちがいがあるが、重色目の「秘色」は表が瑠璃色となっている。その色目の衣の記事ではないが、『宇津保物語』に、「ひそくのつきども。」、『源氏物語』に、「ひそくやうの、唐土の物なれど、」と見えている。

①『嬉遊笑覧《きゆうしょうらん》』喜多村信節著。和漢の書からわが国近世の風俗習慣・歌舞音曲に関する事項を集めて考証した随筆。十二巻、附録一巻。文政十三年（一八三〇）成立。

114 木賊《とくさ》

表萌黄・裏白。『布衣記』①
別説、表黒青・裏白、他二説。
着用時期、四季。

多年生の常緑羊歯類の木賊の茎色を模した色目である。染色では、「木賊」は青黒味を帯びた萌黄色で、「かげ萌黄」とも呼ばれるが、この重色では「木賊」は萌黄色になっている。しかし、別説には表黒青・裏白となっているものもある。普通、重色目は表・裏を合わせた色になるが、木賊は裏色が白になっているから、表の色がその色目を表わすことになる。「木賊」の衣は平安文学には見えないが、鎌倉時代の軍記物語『義経記』に、「木賊色の水干」が、『増鏡』に、「とくさの狩衣」が見えており、武家愛用の色目であった。なお、木賊を象る色目は他に、「黄木賊」・「青木賊」・「黒木賊」がある。木賊は漢名で、日本名は「砥草《とくさ》」。その茎を乾燥させてものをみがくことから来た名という。

①『布衣記《ほいき》』公事の書。一巻。斎藤越前守助成記。永仁三年（一二九五）成立。布衣の人々の服装・大刀・持物・勤仕の作法等を記したもの。

115 黒木賊《くろとくさ》

表青 黒味アリ・裏白。『薄様色目』
別説、表黄 青気アリ・裏黄 黒気アリ、他三説。
着用時期、四季。

前掲の「木賊」を黒味がからせた色目であるが、「黒木賊」は祝の時に用いることをはばかる色目とされている。

116 青丹《あおに》 あをに

表青 濃気アリ・裏青 淡気アリ。『四季色目』
別説、表濃青 黄ヲサス・裏濃青 黄ヲサス、他一説。
着用時期、四季。

「青丹《あおに》」とは、昔、化粧料の黛《まゆずみ》などに用いた黒ずんだあお粘土のことで、青土とも書かれる。伊勢貞丈は『安齋随筆』で、「青き土を青丹と云ふは心得られぬ様なれど、…丹は物を色どる物、青土も物を色どる物なる故、丹を転用傍通して青丹と云ふなり。」と説いているが、『日本色彩文化史』は丹《に》について、赤土は近畿地方の普遍的な土であり、その土色の赤(丹)が土《に》の概念となったとのべている。重色目の「青丹」はその青土の色を模したものである。「青土」の衣の記事は『宇津保物語』に、「あおにのうへのきぬ」、「あをに丶やなぎがさねきたり。」と見えている。ところで、青丹の語は、「あおつち」とは別に、あお(緑)と、丹《たん》(赤)の配色をいうこともある。奈良の都の色彩美をたたえる「青丹吉《あおによし》」がそれである。

117 紅《くれない》匂《のにおい》 くれなゐのにほひ

表紅　淡シ・裏紅　濃シ。『色目秘抄』
別説、表紅・裏淡紅。
着用時期、四季。

ここでいう「匂」は、色を濃い方から淡い方へ、或いは、淡い方から濃い方へぼかすことをいう色彩語であるが、重色目の場合、「紅匂」では、紅の色を、表を淡く、裏を濃く（色票）、或いは、裏を淡く、表を濃くする（別説）のである。しかし、襲色目に見る「紅匂の衣」（後述）の配色では紅色を濃から淡、淡から濃へと順々にかさねてゆくのである。

118 紅薄様《くれないのうすよう》 くれなゐのうすやう

表紅・裏白。『四季色目』
別説、紅　濃シ・紅　淡シ。
着用時期、四季。

「薄様」とは普通、消息用の薄様紙のことをいうが、重色の名称では「匂」の形式の一種で、表に対して裏が白、或いは、表の色に対してその淡色の配合をいう。「紅の薄様」は装束の襲色目にもあるが、この場合は、女房装束の、五ツ衣の中、下二枚に白をかさね、上三枚を紅の匂いとするのである。「匂」、「薄様」の重色目の配合は、右の五ツ衣の襲色目から出たもので、後に行われるようになったものではあるまいか。

119 青《あお》鈍《にび》 あをにび

表濃縹・裏濃縹。『四季色目』
別説、なし。
着用時期、四季。

青鈍とは、青みがかった鈍《にび》（鼠色）をいい、その染色は淡墨に藍を加えたものである。重色目の「青鈍」はその染色にならったものであるが、染色より青みの強いものになっている。平安時代ではこれを喪の色としている。『装束抄』に「青鈍。花田濃色也。尼ナド用色ト云」とある。「青鈍」の衣は『源氏物語』に、「空蟬《うつせみ》の尼君に、青鈍の織物の、」と見えている。

120 苦《く》丹《たに》色《いろ》（小《こ》たに色《いろ》）

表青・裏白。『四季色目』
別説、なし。
着用時期、四季。

『四季色目』に「小タニ色。苦丹、龍膽ノ古名。一日晴ニ之ヲ用フ常ニ着ズ」とある。これによると、苦丹と龍膽とは同一物ということになるが、重色目では別にあげられている。その苦丹の名は『源氏物語』「乙女」に、「……薔薇・くたになどやうの花くさぐ〵を植えて、」と見えている。苦丹が龍膽であることを『大和本草』は「倭名リンダウ一名クタニト云」と記しているが、他に岩藤・牡丹とする説もあり、いずれとも断じがたい。それはともかく、色票には『四季色目』の示す色をとり上げることにした。

色票掲載の重色目の解説終り。

2 重色目別説一覧表

註、〇印は色票に掲載の色目である。

【春】

色目名称	表色	裏色	季	代表文献名
① 梅《うめ》（むめ）	白	蘇芳	春	装束抄
	同	深蘇芳	同	服飾管見
	同	紅梅	同	薄様色目
	同	淡紅	同	色目秘抄
一《ひ》重《とえ》梅《うめ》（ひとへむめ）	白	紅	春	胡曹抄
	同	紅梅	同	四季色目
② 梅《うめ》重《がさね》（むめがさね）	濃紅	紅梅	春	薄様色目
	白	同	同	胡曹抄
③ 裏《うら》梅《うめ》（うらむめ）	紅梅	紅	春	薄様色目
	白	蘇芳	同	四季色目

白梅《しらうめ》(しらむめ)	白	蘇芳	春	雁衣鈔
	同	紅梅	同	四季色目
	同	青	同	同
④紅梅《こうばい》	紅梅	蘇芳	春	四季色目
	同	濃蘇芳	同	服飾管見
	同	紅梅	同	色目秘抄
	同	紫	同	同
	紅	紅	同	薄様色目
	同	蘇芳	同	四季色目
	同	紫	同	胡曹抄
⑤紅梅匂《こうばいのにおい》(こうばいのにほひ)	紅梅	淡紅梅	春	女官飾鈔
⑥莟紅梅《つぼみこうばい》	紅梅	濃蘇芳	春	薄様色目
	同	蘇芳	同	色目秘抄
	同	紫	同	四季色目
裏倍紅梅《うらまさりこうばい》	紅梅	紅	春	色目秘抄

雪下紅梅《ゆきのしたこうばい》	白	紅梅	春	四季色目
⑦ 若草《わかくさ》	淡青	濃青	春	薄様色目
⑧ 柳《やなぎ》	白	淡青	春	装束抄
	同	青	同	雁衣鈔
	同	青打	同	胡曹抄
	同	青張	同	三條家装束抄
	同	萌黄	同	かさねのいろあひ
	淡青	淡青	同	薄様色目
	同	紫	同	同
⑨ 面柳《おもやなぎ》	濃青	濃青	春	四季色目
⑩ 黄柳《きやなぎ》	淡黄	青	春	四季色目
	同	淡青	同	かなねのいろあひ
	同	濃青	同	薄様色目
	同	濃青打	同	錺抄
	同	濃黄打	同	四季色目

	淡黄	濃黄	春	色目秘抄
	同	淡青打	同	四季色目
	萌黄	淡萌黄	同	服飾管見
	（中倍は裏より淡き萌黄）			
⑪ 青柳《あおやなぎ》（あをやぎ）	濃青	紫	春	薄様色目
	同	濃青	同	藻塩草
	淡萌黄	濃萌黄	同	服飾管見
	（中倍は中位の萌黄）			
⑫ 花柳《はなやなぎ》（はなやぎ）	青	淡青	春	色目秘抄
	白	青	同	同
⑬ 柳重《やなぎがさね》	淡青	淡青	春	藻塩草
⑭ 桜《さくら》	白	赤花	春	胡曹抄
	同	二藍	同	薄様色目
	同	葡萄	同	かさねのいろあひ
	同	青	同	装束抄

⑮ 樺桜《かばざくら》

蘇芳	赤花	春	装束抄
白	薄色	春	薄様色目
同	紫	同	藻塩草
同	濃紫	同	薄様色目
白瑩	葡萄	同	胡曹抄
白	赤	同	薄様色目
蘇芳	赤花	同	同
白	淡紅梅	同	同
同	桜（淡紅）	同	色目秘抄
白瑩	薄色	同	四季色目
同	紫	同	同
同	濃紫	同	同
同	赤花	同	同
同	二藍	同	同
白	花色（桜の）	同	雁衣鈔
同	濃蘇芳	同	四季色目
同	縹（中倍は淡紅）	同	服飾管見

紅桜《くれないざくら》（くれなゐざくら）

紅	紫	春	胡曹抄
薄色	濃二藍	春	物具装束抄
蘇芳	濃蘇芳	同	薄様色目
薄色	蘇芳	同	かさねのいろあひ
濃蘇芳 （中倍は淡紅）	縹	同	服飾管見
蘇芳	花色（桜の）	同	かさねのいろあひ
紫	青	同	藻塩草
薄色	濃色	同	雁衣鈔
同	赤	同	同
淡蘇芳	濃蘇芳	同	四季色目
同	濃二藍	同	同
蘇芳	白	同	色目秘抄
薄色	二藍	同	同
同	桜	同	同
蘇芳	蘇芳	同	雁衣鈔
同	濃紫	同	四季色目

白桜《しろざくら》	白	紫	春	三條家装束抄
	同	白	同	同
	同	黄	同	薄様色目
	同	赤	同	四季色目
	同	二藍	同	同
松桜《まつざくら》(待桜《まちざくら》)	紫	淡紫	春	色目秘抄
花桜《はなざくら》	白	青	春	色目秘抄
⑯ 薄花桜《うすはなざくら》	白	淡紅	春	薄様色目
	同	紅	同	胡曹抄
	同	紅梅	同	色目秘抄
⑰ 桜萌黄《さくらもえぎ》(さくらもへぎ)	萌黄	赤花	春	四季色目
	同	濃二藍	同	物具装束抄
	同	縹	同	四季色目
	同	花田打	同	銹抄
	同	紫	同	四季色目

	萌黄	紫張	春	三條家装束抄
	同	蘇芳	同	薄様色目
	同	二藍	同	色目秘抄
	同	桜	同	同
	同	紅梅ウスキ也	同	同
	青	赤	同	四季色目
⑱ 薄桜萌黄《うすさくらもえぎ》（うすざくらもへぎ）	淡青	二藍	春	四季色目
	同	蘇芳	同	薄様色目
	同	桜	同	色目秘抄
桜重《さくらがさね》	白	赤花	春	女官飾鈔
	同	紅梅	同	色目秘抄
	濃紅	同	同	かさねのいろあひ
⑲ 葉桜《はざくら》	萌黄	二藍	春	四季色目
薄桜《うすざくら》	白	紅	春	四季色目

花葉色《はなばいろ》	経黄緯山吹	青	春	色目秘抄
	同	青打	同	錺抄
	黄	青	同	薄様色目
	朽葉	青打	同	四季色目
	経黄緯朽葉	青	同	同
⑳ 菫《すみれ》	紫	淡紫	春	薄様色目
	同	薄色	同	色目秘抄
㉑ 壺菫《つぼすみれ》	紫	淡青	春	薄様色目
	同	青	同	四季色目
	同	薄色	同	色目秘抄
㉒ 桃《もも》	淡紅	萌黄	春	色目秘抄
	(中倍白)			
	韓紅	紅梅	同	胡曹抄
	白	紅	同	同
	濃紅	紅梅	同	薄様色目
	紅梅	同	同	藻塩草

	紅	紅梅	春	薄様色目
㉓ 早蕨《さわらび》	紫	青	春	薄様色目
㉔ 躑躅《つつじ》	蘇芳	（中倍白）萌黄	春	色目秘抄
	同	青	同	四季色目
	同	青打	同	装束抄
	同	紅	同	薄様色目
	白	蘇芳	同	同
	同	青	同	同
	白瑩	青打	同	装束抄
	同	紫	同	薄様色目
	同	紅	同	かさねのいろあひ
	蘇芳	紅打	同	四季色目
	紅梅	青	同	色目秘抄
	紅	同	同	薄様色目
㉕ 紅躑躅《くれないつつじ》（くれなゐつつじ）	蘇芳	淡紅	春	女官飾鈔

	蘇芳	紅	春	かさねのいろあひ
	紅	赤	同	薄様色目
	同	萌黄	同	服飾管見
		(中倍淡青)		
	同	淡紅平絹打	同	四季色目
㉖ 白躑躅《しらつつじ》	白	紫	春	薄様色目
	紅梅	濃紫	同	同
	紅	紫	同	色目秘抄
	白	紅	同	四季色目
	白瑩	濃打	同	同
岩躑躅《いわつつじ》	紅	紫	春	四季色目
	同	黄	同	薄様色目
	同	淡紫	同	同
	同	青	同	色目秘抄
餅躑躅《もちつつじ》(半躑躅)	紫	紅	春	薄様色目
	薄色	濃蘇芳	同	同

	蘇芳	青	春	色目秘抄
	薄色	同	同	薄様色目
	淡蘇芳	濃蘇芳	同	色目秘抄
㉗ 山《やま》吹《ぶき》（欵冬）	淡朽葉	黄	春	胡曹抄
	朽葉	同	同	色目秘抄
	山吹色	萌黄	同	服飾管見
	（中倍黄）			
	黄	青	同	色目秘抄
	経紅緯黄	黄	同	同
	同	青	同	四季色目
	紅	黄	同	雁衣鈔
花《はな》山《やま》吹《ぶき》	朽葉	黄	春	薄様色目
	淡朽葉	同	同	胡曹抄
	黄	萌黄	同	薄様色目
	淡朽葉	青	同	同
	黄紅気アリ	同	同	色目秘抄
	朽葉	紅梅	同	四季色目

	黄朽葉	紅	春	三條家装束抄
	朽葉	同	同	四季色目
	経紅緯黄	同	同	三條家装束抄
	同	経青緯黄	同	色目秘抄
	淡朽葉	淡朽葉	同	胡曹抄
㉘ 裏山吹《うらやまぶき》	黄	紅	春	装束抄
	同	青	同	四季色目
	黄朽葉	同	同	薄様色目
	同	朽葉張	同	四季色目
	同	萌黄	同	薄様色目
	同	紅	同	同
	黄	萌黄	同	物具装束抄
㉙ 山吹匂《やまぶきのにおい》（やまぶきのにほひ）	山吹色	黄	春	色目秘抄
㉚ 青山吹《あおやまぶき》（あをやまぶき）	青	黄	春	薄様色目
㉛ 藤《ふじ》（ふぢ）	薄色	萌黄	春	服飾管見

	淡紫	青（中倍淡青）	春	雁衣鈔
	同	淡青	同	装束抄
	薄色	青	同	色目秘抄
	紫	淡紫	同	同
	薄色	青生	同	四季色目
	淡紫	濃紫	同	同
	経青緯黄	萌黄	同	物具装束抄
㉜ 白藤《しらふじ》（しらふぢ）	淡紫	濃紫	春	薄様色目
藤重《ふじがさね》（ふぢがさね）	淡紫	青	春	女官飾鈔
	紫	淡紫	同	藻塩草
	薄色	淡青	同	薄様色目
	淡紫	萌黄	同	四季色目
土筆《つくし》	白	紅	春	かさねの色目
㉝ 牡丹《ぼたん》（ぼうたん）	淡蘇芳	白	春	薄様色目

白	紅梅	春	胡曹抄
淡蘇芳	濃赤色	同	薄様色目
同	濃蘇芳	同	同
淡紅	青	同	四季色目
同	濃蘇芳	同	同
白	淡紅梅	同	薄様色目

【夏】

色目名称	表色	裏色	季	代表文献名
㉞ 卯花《うのはな》	白	青	夏	雁衣鈔
	同	白	同	薄様色目
	同	萌黄	同	同
	同	濃青	同	同
㉟ 蝦手《かえで》（かへで）（鶏冠木・楓）	青	青	夏	雁衣鈔
	萌黄	萌黄	同	色目秘抄

㊱ 若《わ》蝦《かか》手《えで》（わかかへで）（若鶏冠木・若楓）	淡青	紅	夏	胡曹抄
	淡萌黄	淡紅梅	同	同
	同	紅	同	色目秘抄
	淡青	淡青	同	同
	同	青	同	四季色目
	同	淡紅梅	同	同
	同	淡紅	同	装束抄
㊲ 杜《かきつ》若《ばた》（燕子花）	淡萌黄	淡紅梅	夏	藻塩草
	二藍	萌黄	同	薄様色目
	同	青	同	同
	萌黄	淡紅梅	同	胡曹抄
㊳ 葵《あおい》（あふひ）	淡青	淡紫	夏	藻塩草
	同	紫	同	四季色目
㊴ 楝《おうち》（樗）（あふち）	薄色	青	夏	物具装束抄
	紫	淡紫	同	かさねのいろあひ

㊵ 蓬《よもぎ》	淡萌黄 白 同	濃萌黄 萌黄 青	夏 同 同	胡曹抄 薄様色目 胡曹抄
㊶ 百《ゆ》合《り》	赤 紅	朽葉 同	夏 同	胡曹抄 薄様色目
㊷ 苗《なえ》色《いろ》（なへいろ）	淡青 淡萌黄 同	黄 淡萌黄 同 黄ヲサス	夏 同 同	薄様色目 色目秘抄 四季色目
㊸ 若《わか》苗《なえ》（わかなへ）	淡木賊 淡青 濃萌黄	淡木賊 淡青 濃萌黄	夏 同 同	藻塩草 色目秘抄 薄様色目
㊹ 菖蒲《しょうぶ》（さうぶ）	青 同 白 淡萌黄	濃紅梅 紅梅 同 濃紅梅	夏 同 同 同	物具装束抄 胡曹抄 装束抄 四季色目

	薄色 淡紅 青 淡萌黄	青生 青 白 紅梅	夏 同 同 同	四季色目 色目秘抄 薄様色目 同
花菖蒲《はなあやめ》	白	萌黄	夏	色目秘抄
㊺ 破菖蒲《はしょうぶ》（はさうぶ）	萌黄 同 同	紅梅 青 紅梅生	夏 同 同	色目秘抄 薄様色目 四季色目
㊻ 若菖蒲《わかしょうぶ》（わかさうぶ）	淡紅 青 同 同	青 淡青 白 紅梅	夏 同 同 同	薄様色目 同 色目秘抄 かさねのいろあひ
㊼ 根菖蒲《ねしょうぶ》（ねさうぶ）	白 同 同	濃紅 紅 紅梅	夏 同 同	薄様色目 胡曹抄 四季色目

㊽	菖蒲重《しょうぶがさね》（さうぶがさね）	菜種（黄）	萌黄	夏	藻塩草
		青	白	同	四季色目
		同	紅梅	同	同
㊾	薔薇《そうび》（さうび）	紅	紫	夏	薄様色目
		同	紅	同	色目秘抄
㊿	橘《たちばな》	濃朽葉	黄	夏	薄様色目
		朽葉	同	同	色目秘抄
		白	青	同	藻塩草
51	花橘《はなたちばな》（盧橘）	朽葉	青	夏	胡曹抄
		白	同	同	かさねのいろあひ
		黄	同	同	雁衣鈔
		山吹色	萌黄	同	服飾管見
		経黄緯紅	青	同	物具装束抄
		朽葉	赤	同	四季色目
		経紅緯黄	青生	同	同
		黄紅気アリ	青	同	色目秘抄

	経紅緯黄	経青緯黄	夏	色目秘抄
	淡朽葉	黄	同	同
㊿ 撫《なで》子《しこ》（瞿麦）	紅	淡紫	夏	色目秘抄
	紅梅	青	同	胡曹抄
	蘇芳	同	同	色目秘抄
	紅	紅	同	同
	淡蘇芳	青	同	同
	濃薄色	同	同	同
	薄色	同	同	四季色目
	同	紅梅	同	同
	紅梅	かとり	同	源氏男女装束抄
	淡蘇芳	萌黄	同	四季色目
	紅梅	赤	同	同
	蘇芳	濃蘇芳	同	薄様色目
	紅	淡紫	同	藻塩草
	紅梅	萌黄	同	服飾管見
白《しろ》撫《なで》子《しこ》	白	濃紅	夏	薄様色目

	白	蘇芳	夏	薄様色目
花《はな》撫《なで》子《しこ》	紫	紅	夏	薄様色目
㊸ 唐《から》撫《なで》子《しこ》（韓撫子）	紅 紫	紅 同	夏 同	薄様色目 藻塩草
撫子《なでしこ》の若葉《わかば》色《いろ》	蘇芳	青	夏	源氏男女装束抄
㊹ 蟬《せみ》の羽《は》	檜皮色 濃紫	青 同	夏 同	薄様色目 同
㊺ 夏《なつ》萩《はぎ》	青 同	濃紫 紫	夏 同	薄様色目 胡曹抄

【秋】

色目名称	表色	裏色	季	代表文献名
㊱ 萩《はぎ》（芽子）	紫	白	秋	色目秘抄
	蘇芳	青	同	胡曹抄
	経青緯蘇芳	同	同	装束抄
	薄色	同	同	四季色目
	蘇芳	萌黄	同	色目秘抄
	薄色	同	同	同
	青	赤	同	四季色目
	蘇芳	薄色	同	同
	淡紫	青	同	物具装束抄
	青	濃萌黄	同	薄様色目
	蘇芳	黄	同	同
	赤き蘇芳	萌黄	同	服飾管見
㊲ 萩《はぎ》経《たて》青《あお》（はぎたてあを）	経青緯蘇芳	青	秋	胡曹抄
	経青緯紫	同	同	四季色目

㊿58 萩重《はぎがさね》	紫	二藍	秋	薄様色目
	同	淡紫	同	胡曹抄
	同	薄色	同	色目秘抄
㊾59 花薄《はなすすき》	白	縹	秋	色目秘抄
	同	淡縹	同	四季色目
㊿60 女郎花《おみなえし》（をみなへし）（敗醤）	経青緯黄	青	秋	装束抄
	青	萌黄	同	薄様色目
	白	淡花田	同	藻塩草
	黄	青	同	雁衣鈔
	女郎花	萌黄	同	服飾管見
	経青緯黄	青生	同	四季色目
	経黄緯青	青	同	色目秘抄
61 朽葉《くちば》	濃紅	濃黄	秋	薄様色目
	山吹色	黄	同	雁衣鈔
	朽葉	同	同	色目秘抄
	経紅緯黄	白	同	同

	黄	紅	秋	四季色目
	淡紅黄ヲサス	黄	同	雁衣鈔
	経紅緯黄	黄	同	物具装束抄
⑥2 青《あお》朽《くち》葉《ば》（あをくちば）	経青緯黄	青	秋	胡曹抄
	黄	同	同	薄様色目
	経青緯黄	同	同	装束抄
	青丹ニ黒味アリ	同	同	四季色目
	濃青	淡青	同	薄様色目
	淡萌黄	黄	同	同
	青	同	同	同
	同	朽葉	同	四季色目
	淡萌黄黄気アリ	青丹ニ黒気アリ	同	同
	同	丹ニ黒味アリ	同	色目秘抄
	同	青	同	同
	淡萌黄	黄	同	同
	青丹ニ黒味アリ	同	同	同
⑥3 赤《あか》朽《くち》葉《ば》	経紅緯洗黄	黄	秋	四季色目

	経淡紅緯黄	黄	秋	胡曹抄
㊹ 黄《き》朽《くち》葉《ば》	朽葉	朽葉	秋	四季色目
	黄	同	同	かさねのいろあひ
㊺ 龍《りん》膽《どう》（りんだう）（りうたん）	淡蘇芳	青	秋	雁衣鈔
	蘇芳	同	同	薄様色目
	黄	同	同	かさねのいろあひ
	濃縹	紫	同	藻塩草
	蘇芳	萌黄	同	色目秘抄
㊻ 小《こ》栗《ぐり》色《いろ》	秘色	淡青	秋	満佐須計装束抄
	同	薄色	同	薄様色目
	黄紫気アリ	淡紫	同	四季色目
	瑠璃色	淡青	同	色目秘抄
㊼ 落《おち》栗《ぐり》色《いろ》	蘇芳黒味深シ	香	秋	薄様色目
	濃紅	同	同	同
	濃蘇芳	同	同	同

⑥⑧ 荻《おぎ》（をぎ）	蘇芳	青	秋	装束抄
⑥⑨ 檀《まゆみ》（真弓）	朽葉	萌黄	秋	薄様色目
	蘇芳	黄	同	雁衣鈔
⑦⓪ 朝《あさ》顔《がお》（牽牛子）（あさがほ）	縹	縹	秋	薄様色目
	空色	空色	同	四季色目
	濃空色	濃空色	同	同
⑦① 忍《しのぶ》	淡萌黄 黄気アリ	蘇芳	秋	色目秘抄
	同	青	同	胡曹抄
	淡萌黄	同	同	薄様色目
⑦② 紫《し》苑《おん》（しをに）	紫	蘇芳	秋	薄様色目
	薄色	青	同	同
	蘇芳	萌黄	同	同
	濃薄色	青	同	物具装束抄
	濃蘇芳	同	同	四季色目

⑬	桔梗《ききょう》（きちかう）	二藍	濃青	秋	薄様色目
		同	青	同	物具装束抄
		同	萌黄	同	服飾管見
		縹	縹	同	胡曹抄
		濃縹	濃縹	同	四季色目
		同	萌黄	同	同
		薄色	青	同	色目秘抄
⑭	藤袴《ふじばかま》（ふぢばかま）	紫	紫	秋	薄様色目
		淡紫	淡紫	同	四季色目
⑮	鴨頭草《つきくさ》（月草）	縹	淡縹	秋	藻塩草
		同	縹	同	色目秘抄
⑯	梶《かじ》（楮）（かぢ）	萌黄	濃萌黄	秋	薄様色目
		同	萌黄	同	桃花蘂葉
⑰	櫨《はじ》	朽葉	黄	秋	四季色目
		赤色	同	同	雁衣鈔

経紅緯黄	経淡紅緯黄	濃黄	黄	同
白	黄	淡黄	淡萌黄	黄
秋	同	同	同	同
色目秘抄	四季色目	同	藻塩草	同

⑦⑧ 紅葉《もみじ》（もみぢ）

赤色	黄	紅		同	青	紅	同
濃赤色	蘇芳	朽葉	（中倍淡紅）	青	朽葉	濃蘇芳	蘇芳
秋	同	同		同	同	同	同
雁衣鈔	薄様色目	服飾管見		藻塩草	四季色目	同	色目秘抄

⑦⑨ 黄紅葉《きもみじ》（きもみぢ）

黄	同	萌黄	黄
濃黄	紅	蘇芳	同
秋	同	同	同
色目秘抄	かさねのいろあひ	物具装束抄	雁衣鈔

	黄	青	秋	色目秘抄
	同	赤花	同	四季色目
	萌黄	青	同	かさねのいろあひ
⑧0 青《あお》紅《も》葉《みじ》（あをもみぢ）	青	朽葉	秋	薄様色目
	萌黄	黄	同	同
	青	紅	同	同
	濃青	青	同	同
	青	赤	同	野槐服飾抄
	青黄気アリ	紅	同	色目秘抄
	淡青	山吹	同	同
	黄	青	同	同
	青黄	紅	同	藻塩草
⑧1 櫨《はじ》紅《も》葉《みじ》（はじもみぢ）	蘇芳黒味アリ	黄	秋	四季色目
	蘇芳	同	同	女官飾鈔
	淡紅	同	同	薄様色目
	黄	淡萌黄	同	色目秘抄
	同	黄	同	同

捩《もじり》紅《もみ》葉《じ》(もぢりもみぢ)	青	黄	秋	色目秘抄
⑧2 楓《かえで》紅《もみ》葉《じ》(かへでもみぢ)	淡青	朽葉	秋	桃花蘂葉
(蝦手紅葉)	同	黄	同	薄様色目
⑧3 初《はつ》紅《もみ》葉《じ》(はつもみぢ)	萌黄	淡萌黄	秋	薄様色目
	淡黄	青	同	深窓秘抄
菊《きく》	白	蘇芳	秋	胡曹抄
	同	紫	同	藻塩草
	白	青	同	物具装束抄
⑧4 白《しら》菊《ぎく》	白	萌黄 (中倍淡青)	秋	服飾管見
	同	蘇芳	同	雁衣鈔
	同	紫	同	四季色目
	同	青	同	同
	同	紅梅	同	色目秘抄

	青	紫	秋	薄様色目
黄菊《きぎく》	黄	青	秋	物具装束抄
	同	萌黄（中倍淡青）	同	服飾管見
㉕ 移菊《うつろいぎく》（うつろひぎく）	紫	黄	秋	薄様色目
	同	青	同	四季色目
	同	白	同	藻塩草
	同	淡青	同	薄様色目
	淡紫	青	同	物具装束抄
	蘇芳	同	同	四季色目
㊱ 莟菊《つぼみぎく》	紅	黄	秋	薄様色目
	黄	濃青	同	同
	同	黄	同	色目秘抄
㊲ 紅菊《くれないぎく》（くれなゐぎく）	紅	青	秋	薄様色目
	同	萌黄	同	服飾管見

		（中倍淡青）		
⑧⑧ 蘇《す》芳《おう》菊《ぎく》（すはうぎく）	白	濃蘇芳	秋	薄様色目
	同	蘇芳	同	同
⑧⑨ 残《のこり》菊《ぎく》	黄	白	秋	四季色目
	同	淡青	同	同
	同	淡黄	同	色目秘抄
⑨⓪ 葉《は》菊《ぎく》	白	紺青	秋	四季色目
	同	青	同	同
	黄	同	同	同
	同	紺青	同	同
	白	黄	同	色目秘抄
⑨① 九《く》月《がつ》菊《ぎく》（くぐわつぎく）	白	黄	秋	色目秘抄
⑨② 菊《きく》重《がさね》	白	淡紫	秋	薄様色目
	同	紫	同	同

⑬93 花菊《はなぎく》	淡蘇芳	濃蘇芳	秋	四季色目
⑭94 虫襖《むしあお》（虫青）（むしあを）	青黒味アリ	二藍	秋	色目秘抄
	青	濃薄色	同	雁衣鈔
	青黒味アリ	薄色	同	装束抄
	青	二藍	同	雁衣鈔
	青黒シ	紫	同	薄様色目
	同	黄	同	同
	同	二藍	同	同
	青黒気アリ	紫	同	四季色目
	同	黄	同	同
柑子色《こうじいろ》（かうじいろ）	濃朽葉	濃朽葉	秋	薄様色目
尾花《おばな》	白	縹	秋	薄様色目
	同	淡縹	同	四季色目

【冬】

色目名称	表色	裏色	季	代表文献名
⑮ 枯色《かれいろ》	淡香	青	冬	薄様色目
	香	同	同	かさねのいろあひ
	白	薄色	同	薄様色目
	黄	青	同	かさねのいろあひ
⑯ 枯野《かれの》	黄	淡青	冬	薄様色目
	同	白	同	同
	香	青	同	同
	黄	白	同	藻塩草
⑰ 氷《こおり》（こほり）	白	白	冬	雁衣鈔
	白打	白張	同	色目秘抄
	白瑩	白無文	同	同
	同	白	同	薄様色目
	白ヤウ	白無文	同	装束抄
	白ノウルミタル	白	同	薄様色目

	鳥ノ子色			
⑱ 氷重《こおりがさね》（こほりがさね）	鳥ノ子色	白	冬	四季色目
初《はつ》雪《ゆき》	白	白ノウルミ色	冬	胡曹抄
	同	紅梅	同	四季色目
註、ウルミ色（潤色）は漆固有の色。	同	白	同	色目秘抄
	同	香	同	薄様色目
	同	濃紅	同	藻塩草
⑲ 雪《ゆき》の下《した》	白	紅梅	冬	薄様色目
	同	紅	同	胡曹抄
	同	淡蘇芳	同	薄様色目
松《まつ》の雪《ゆき》	白	青	冬	薄様色目
⑽ 椿《つばき》	蘇芳	赤	冬	胡曹抄
	同	紅	同	四季色目

色目名称	表色	裏色	季	代表文献名
⑽ 松重《まつがさね》	青	紫	四季通用	雁衣鈔
	紫	濃青	同	薄様色目
	同	青	同	かさねのいろあひ
	青	赤	同	物具装束抄
	萌黄	紫	同	薄様色目
	青	青	同	色目秘抄
	同	蘇芳	同	雁衣鈔
	同	濃薄色 赤味アリ	同	同
	同	赤花	同	色目秘抄
	萌黄	濃蘇芳	同	服飾管見
	（中倍中位の蘇芳）			
	蘇芳	萌黄	同	色目秘抄
	萌黄	赤色	同	四季色目
	経萌黄緯萌黄	二藍	同	同
若緑《わかみどり》	青	紫	四季通用	色目秘抄

	青	淡青	四季通用	四季色目
篠青《ささのあお》（ささのあを）	白	青	四季通用	色目秘抄
	青	同	同	薄様色目
⑩② 比金襖《ひごんあお》（比金青）（ひごのあを）	青黄気アリ	二藍	四季通用	四季色目
	青黄	同	同	胡曹抄
	黄青スコブル黒味アリ	青色	同	雁衣鈔
	青黄気アリ	青	同	四季色目
	同	淡紫	同	同
	青	黄	同	同
	経青黒緯黄	二藍	同	同
	同	淡紫	同	同
	経黄緯青	二藍	同	色目秘抄
濃桑色《こぐわいろ》	黄	淡紫	四季通用	薄様色目
⑩③ 脂燭色《しそくいろ》	紫	紅	四季通用	色目秘抄
	同	紅濃シ	同	薄様色目

	経紫緯紅	—	四季通用	四季色目
⑩④ 今様色《いまよういろ》（いまやういろ）	紅梅	濃紅梅	四季通用	四季色目
⑩⑤ 葛《くず》	青 黒気アリ	淡青	四季通用	色目秘抄
灘色《なだいろ》	濃浅葱	濃浅葱	四季通用	色目秘抄
玉虫色《たまむしいろ》	青	紫	四季通用	色目秘抄
⑩⑥ 苦色《にがいろ》	香 黒味アリ	二藍	四季通用	四季色目
鳥子重《とりのこがさね》	白瑩	濃蘇芳	四季通用	装束抄
	同	蘇芳	同	胡曹抄
	同	白瑩	同	装束抄
	白	蘇芳	同	色目秘抄
	同	黄	同	同
	（中倍紅梅）			

掻練《かいねり》	紅打	紅打	四季通用	装束抄
苔色《こけいろ》	濃萌黄 香黒味アリ 香	濃萌黄 二藍 同	四季通用 同 同	色目秘抄 装束抄 雁衣鈔
木蘭地《もくらんぢ》	黄 経黒緯黄 黒	黒 — 黄	四季通用 同 同	薄様色目 四季色目 色目秘抄
醤色《ひしおいろ》（ひしをいろ）	蘇芳黒味アリ 蘇芳黒気アリ	濃蘇芳 蘇芳黒気アリ	四季通用 同	色目秘抄 四季色目
薬色《くすりいろ》	紅打	紅打	四季通用	四季色目
唐紙《からかみ》	白	黄	四季通用	色目秘抄
卵重《たまごがさね》	白瑩	蘇芳	四季通用	四季色目

辛《に》螺《し》	香黄味アリ	紅	四季通用	色目秘抄
青《あお》唐《から》紙《かみ》（あをからかみ）	黄	青	四季通用	色目秘抄
	経淡青緯萌黄	同	同	四季色目
	経青緯黄	―	同	同
⑩⑦ 海《み》松《る》色《いろ》	萌黄	縹	四季通用	四季色目
	同	青	同	藻塩草
	青黒味アリ	同	同	四季色目
	同	白	同	薄様色目
	青黒海松ノ如シ	同	同	物具装束抄
	濃萌黄	淡萌黄	同	色目秘抄
	黒	白	同	同
	淡花田	青	同	同
	黄青黒気アリ	白	同	四季色目
	黒	黒青	同	同
⑩⑧ 檜皮色《ひはだいろ》（ひわだいろ）	蘇芳	二藍	四季通用	雁衣鈔
	檜皮色	檜皮色	同	三條家装束抄

	檜皮色	縹	四季通用	三條家装束抄
	紫	紫	同	物具装束抄
	蘇芳 黒味アリ	花田	同	胡曹抄
	蘇芳	縹	同	四季色目
	赤花	白	同	薄様色目
	紫	萌黄	同	同
	赤色 淡気アリ	赤色 淡気アリ	同	四季色目
	同	縹	同	同
	蘇芳	白	同	雁衣鈔
	赤色 淡気アリ	同	同	四季色目
	檜皮色	同	同	三條家装束抄
	淡丁子染	―	同	藻塩草
⑽ 葡萄《えびぞめ》（ゑびぞめ）	蘇芳	縹	四季通用	胡曹抄
	青	濃紅梅	同	薄様色目
	経紅緯紫	―	同	四季色目
	経赤緯紫	―	同	同
黄青裏《きあおうら》（きあをうら）	黄	青	四季通用	四季色目

	黄	香	四季通用	色目秘抄
赤色《あかいろ》	赤色	赤色	四季通用	三條家装束抄
	蘇芳	濃縹	同	雁衣鈔
	同	二藍	同	同
	赤	同	同	物具装束抄
	蘇芳	縹	同	色目秘抄
	同	紫	同	同
	経紫緯赤	—	同	胡曹抄
	経赤緯紫	—	同	四季色目
	経紅緯フシカネ		同	同
	赤色	赤色練生	同	同
萌黄《もえぎ》（もへぎ）	萌黄	萌黄	四季通用	四季色目
⑪0 蘇芳香《すおうのこう》（すはうのかう）	蘇芳	黄	四季通用	色目秘抄
	同	黄赤味アリ	同	薄様色目
麹塵《きくじん》（きくぢん）	青	黄	四季通用	四季色目

⑾	二《ふた》つ色《いろ》	薄色	山吹色	四季通用	四季色目
⑿	胡《く》桃《るみ》色《いろ》	香	青	四季通用	四季色目
⒀	秘《ひ》色《そく》	瑠璃色	薄色	四季通用	四季色目
		同	淡青	同	色目秘抄
	比曽久色《ひそくいろ》	経紫緯香	薄色	四季通用	四季色目
		経香緯香	同	同	同
		経紅緯香	黄	同	同
		同	白	同	同
⒁	木《と》賊《くさ》	萌黄	白	四季通用	布衣記
		黒青	同	同	雁衣鈔
		淡青	同	同	四季色目
		青	同	同	同
	黄《き》木《と》賊《くさ》	淡青黄気過グ	淡青黄気過グ	四季通用	四季色目
		同	白	同	同

		淡青黄色帯ブ	淡青黄色帯ブ	四季通用	色目秘抄
		同	白	同	同
		淡青	同	同	薄様色目
	青木賊《あおとくさ》（あをとくさ）	淡青	白	四季通用	色目秘抄
		青	同	同	同
115	黒木賊《くろとくさ》	青黒味アリ	白	四季通用	薄様色目
		黄青気アリ	黄黒気アリ	同	色目秘抄
		黄黒気アリ	白	同	四季色目
		黄青黄気アリ	同	同	同
		同	黄青黄気アリ	同	同
116	青丹《あおに》（あをに）	青濃気アリ	青淡気アリ	四季通用	四季色目
		濃青黄ヲサス	濃青黄ヲサス	同	同
		経青緯黄	青	同	色目秘抄
	半色《はしたいろ》	淡紫	淡紫	四季通用	薄様色目
		同　付色	淡紫濃色	同	四季色目

	経淡紫緯淡紫	—	四季通用	四季色目
	経紫緯紫	—	同	同
	薄色	薄色	同	色目秘抄
縹《はなだ》（花田）	縹	縹	四季通用	雁衣鈔
圓《まる》縹《はなだ》	縹	縹	四季通用	三條家装束抄
香《こう》（かう）	香	香	四季通用	雁衣鈔
	経香緯白	—	同	四季色目
	経濃香緯濃香	紅	同	三條家装束抄
濃香《こきこう》（こきかう）	経濃香緯濃香	紅	四季通用	四季色目
蘇《す》芳《おう》（すはう）	蘇芳	赤	四季通用	薄様色目
	蘇芳深浅心ナリ	蘇芳	同	服飾管見
	（中倍表裏ヨリモ淡イ蘇芳）			
	淡蘇芳	濃蘇芳	同	四季色目
	蘇芳	蘇芳	同	同

	蘇芳 白瑩	濃蘇芳 濃打	四季通用 同	四季色目 胡曹抄
濃蘇芳《こきすおう》 （こきすはう）	蘇芳	蘇芳黄ヲサス	四季通用	四季色目
裏濃蘇芳《うらこきすおう》 （うらこきすはう）	淡蘇芳 蘇芳の赤色 （中倍、表ト裏ノ中位ノ色）	濃蘇芳 同	四季通用 同	薄様色目 服飾管見
白《しら》青《あお》 （しらあを）	白青	白青	四季通用	雁衣鈔
淡《うす》青《あお》 （うすあを）	淡青 同 青 黄青	青 淡青 青 同	四季通用 同 同 同	四季色目 色目秘抄 四季色目 雁衣鈔
瑠《る》璃《り》色《いろ》	空色	空色	四季通用	四季色目
青《あお》黒《ぐろ》 （あをぐろ）	黄青気アリ	黄黒気アリ	四季通用	色目秘抄

	経黄黒気アリ緯青	黄	四季通用	四季色目
萱草色《かんぞういろ》 （くわんざういろ）	濃朽葉 朽葉	濃朽葉 朽葉	四季通用 同	色目秘抄 四季色目
梔子色《くちなしいろ》	黄	黄	四季通用	色目秘抄
(117) 紅匂《くれないのにおい》 （くれなゐのにほひ）	紅淡シ 紅	紅濃シ 淡紅	四季通用 同	色目秘抄 女官飾鈔
(118) 紅薄様《くれないのうすよう》 （くれなゐのうすやう）	紅 紅濃シ	白 紅淡シ	四季通用 同	四季色目 色目秘抄
紅《くれない》 （くれなゐ）	紅	紅	四季通用	装束色彙
(119) 青鈍《あおにび》 （あをにび）	濃縹	濃縹	四季通用	四季色目
水色《みずいろ》	淡縹	淡縹	四季通用	四季色目

練《ねり》色《いろ》	淡練	濃練	四季通用	四季色目
豆《まめ》染《ぞめ》	白粉張	青張	四季通用	四季色目
濃《こき》色《いろ》	濃紫 経濃紫	濃紫 緯濃紫	四季通用 同	四季色目 同
⑫⓪ 苦《く》丹《たに》色《いろ》（小《こ》たに色《いろ》）	青	白	四季通用	四季色目
二《ふた》藍《あい》（ふたあゐ）	二藍 濃花田赤味アルベシ 二藍	白 濃花田赤味アルベシ 二藍	四季通用 同 同	雁衣鈔 同 物具装束抄
浅《あさ》葱《ぎ》	淡紺 同	淡紺 白	四季通用 同	雁衣鈔 同
薄《うす》色《いろ》	淡縹赤味少シアリ 薄色	濃薄色 薄色	四季通用 同	雁衣鈔 服飾管見

	薄色	白	四季通用	色目秘抄
	同	薄色濃気有リ	同	同
	（中倍、淡黄）			
火色《ひいろ》	紅打	紅打	四季通用	色目秘抄
	火色打	火色打	同	服飾管見
	（中倍、紅梅の張絹）			
白襲《しらがさね》	白瑩	白瑩	四季通用	胡曹抄
	白	白	同	装束抄
	同	白瑩	同	四季色目
	同	白打	同	同
	白張	白張	同	同

附 重色目全説に出現する色彩の四季別頻度

以上の重色目一覧表の色彩所見度数の順位は、一位白、二位青、三位黄、四位紅、五位萌黄、六位蘇芳、七位淡紫、八位紫、九位淡青、十位紅梅、十一位淡萌黄、十二位縹、及び二藍、十三位濃蘇芳、十四位濃青、十五位淡紅・赤・朽葉、十六位濃萌黄、十七位山吹、（以下略）の順である。

又、季節別での上位は「春」は、白①—青②—紅③—紅梅④—淡紫⑤—紫⑥。「夏」は、青①—白②の順、「秋」は、黄①—青②—白③—萌黄④—蘇芳⑤—紫⑥—淡紫⑦の順、「冬」は白が多いが他に目立った色はない。「四季通用」は白①—青②—蘇芳③—萌黄④—淡紫⑤—黄⑥—紅⑦の順である。四季通用の色目には物象名と染色名のものがあるが、物象名の色目には白が断然多い。このように、重色目に白が多いのは、その色が四季を通じて多く見られ、配色的にも効果があり、また、それが上古から日本人に愛好される色だったからにちがいない。

重色目では、衣の表・裏の配色を主体とするが、中には両者の間に中倍《なかべ》をはさんだものもある。中倍配合の色目を季別に一覧にしたものが次の「中倍配合の三重がさね一覧表」である。色票をはじめにその代表的なもの六種をあげておいた。

中倍配合の三重がさね一覧表

色票番号	色目名称	表色	中倍の色	裏色	季	代表文献名
【春】						
	梅《うめ》	白	萌黄	濃蘇芳	春	服飾管見
①	一重梅《ひとえうめ》	同	淡紅	蘇芳	同	薄様色目
	紅梅《こうばい》	紅梅	萌黄	濃蘇芳	同	服飾管見
	黄柳《きやなぎ》	萌黄	裏より淡い萌黄	淡萌黄	同	同
	青柳《あおやなぎ》	淡萌黄	中ら萌黄	濃萌黄	同	同
	桜《さくら》	白	紫	二藍	同	薄様色目
	同	同	同	赤	同	同
	同	同	淡紅	縹	同	服飾管見
	桜萌黄《さくらもえぎ》	萌黄	同	同	同	同
②	桃《もも》	淡紅	白	萌黄	同	薄様色目
	躑躅《つつじ》	淡蘇芳	淡青	同	同	服飾管見
	白躑躅《しらつつじ》	蘇芳	白	同	同	薄様色目
	山吹《やまぶき》	山吹色	黄	同	同	服飾管見

註、○印内数字は色票掲載の番号

	藤《ふじ》	薄色	淡青	萌黄	春	服飾管見
【夏】③	若菖蒲《わかしょうぶ》	青	濃青	淡青	夏	薄様色目
【秋】④	女郎花《おみなえし》	黄	淡黄	萌黄	秋	同
	同	朽葉	黄	同	同	同
	朽葉《くちば》	紅	同	黄	同	同
	赤朽葉《あかくちば》	紅濃ク	黄赤味アリ	同	同	同
	龍膽《りんどう》	蘇芳	縹	萌黄	同	重色目
	紅葉《もみじ》	紅	淡紅	朽葉	同	服飾管見
	菊《きく》	蘇芳	白	萌黄	同	重色目
	同	白	淡蘇芳	蘇芳	同	服飾管見
	黄菊《きぎく》	黄	淡青	萌黄	同	同
	白菊《しらぎく》	白	同	同	同	同
	紅菊《くれないぎく》	紅	同	同	同	同
⑤	移菊《うつろいぎく》	同	紫	青	同	薄様色目
【冬】	雪《ゆき》の下《した》	白	紅	紅梅	冬	重色目

色票番号	色目名称	表色	中倍の色	裏色	季	代表文献名
【四季通用】						
	松重《まつがさね》	萌黄	中らの蘇芳	濃蘇芳	四季	服飾管見
⑥	比金襖《ひごんあお》	黄	青	二藍	同	薄様色目
	鳥《とり》ノ子《こ》色《いろ》	白	紅梅	黄	同	重色目
	葡萄《えびぞめ》	蘇芳	淡縹	縹	同	服飾管見
	火色《ひいろ》	火色打	紅梅	火色打	同	同
	蘇芳《すおう》	蘇芳	表裏よりうすき蘇芳	蘇芳	同	同
	裏濃蘇芳《うらこきすおう》	蘇芳赤	表裏中らの色	濃蘇芳	同	同
	萌黄《もえぎ》	萌黄	淡青	萌黄	同	同
	薄色《うすいろ》	薄色	淡黄	薄色	同	同
	白下襲《しろしたがさね》	白張	白張絹	白張	同	同

3　襲色目に関する『満佐須計装束抄』・『女官飾鈔』・『曇華院殿装束抄』の所説と解説一覧表

註、この『満佐須計装束抄』の本文は仮名が主体となっているため、色名など読みちがいのありそうなものには傍に漢字を添えることにした。○内数字は色票に掲載の番号である。

『満佐須計装束抄』

女ばう（房）のさうぞく（装束）のいろ（色）。
春夏秋冬のいろいろ。いはひ（祝）にきるいろいろ。

装束の名称	単より着装の順序	衣の色目の名称	表色	裏色
裏《うら》濃《こ》き蘇《す》芳《おう》（うらこきすはう） 【本文】 うらこきすはう。おもてはなから（半）ほどのすはう（蘇芳）の。うらはこきすはうなり。あをき（青）ひとへ。	一	裏濃き蘇芳	蘇芳	濃蘇芳
	二	同	同	同
	三　（一〜五）五ツ衣《いつつぎぬ》	同	同	同
	四	同	同	同
	五	同	同	同
	六　単《ひとえ》	青		

①　蘇《す》芳《おう》の匂《におい》
（すはうのにほひ）

すはうのにほひ。
うへはうすくて。したざまに
こくにほひ《(匂)》て。あを《(青)》きひとへ。

一（五ツ衣）	淡蘇芳	淡蘇芳	淡蘇芳
二（五ツ衣）	同	同	同
三（五ツ衣）	蘇芳	蘇芳	蘇芳
四（五ツ衣）	同	同	同
五（五ツ衣）	濃蘇芳	濃蘇芳	濃蘇芳
六　単	青		

②　松重《まつがさね》

まつがさね。
うへ二つすはう《(蘇方)》のこきうすき。
もえぎ《(萌黄)》のにほひ《(匂)》たる三。
くれなゐ《(紅)》のひとへ。

一（五ツ衣）	蘇芳	蘇芳	蘇芳
二（五ツ衣）	淡蘇芳	淡蘇芳	淡蘇芳
三（五ツ衣）	萌黄	萌黄	萌黄
四（五ツ衣）	淡萌黄	淡萌黄	淡萌黄
五（五ツ衣）	同より淡く	同より淡く	同より淡く
六　単	紅		

③　紅《くれない》の匂《におい》
（くれなゐのにほひ）

くれなゐのにほひ。
うへくれなゐ《(紅)》にほひて。した

一（五ツ衣）	濃紅	濃紅	濃紅
二（五ツ衣）	紅	紅	紅
三（五ツ衣）	同	同	同
四（五ツ衣）	淡紅	淡紅	淡紅

へうすくにほひて。こうばい《(紅梅)》のひとへ。	五	同より淡く	同より淡く	同より淡く
	六　単	紅梅		
④ 紅《くれない》の薄《うす》様《よう》（くれなゐのうすやう） くれなゐのうすやう。くれなゐにほひて《(匂)》三。しろき《(白)》二。しろきひとへ。	一（五ツ衣）	紅	紅	紅
	二（五ツ衣）	淡紅	淡紅	淡紅
	三（五ツ衣）	同より淡く	同より淡く	同より淡く
	四（五ツ衣）	白	白	白
	五（五ツ衣）	同	同	同
	六　単	同		
⑤ 紅《こう》梅《ばい》の匂《におい》（こうばいのにほひ） こうばいのにほひ。うへはうすくて。したへこくて。あをき《(青)》ひとへ。またまさりたるひとへをもきる。	一（五ツ衣）	淡紅梅より淡く	淡紅梅より淡く	淡蘇芳より淡く
	二（五ツ衣）	淡紅梅	淡紅梅	淡蘇芳
	三（五ツ衣）	紅梅	紅梅	蘇芳
	四（五ツ衣）	同	同	同
	五（五ツ衣）	濃紅梅	濃紅梅	濃蘇芳
	六　単	青（又は濃紅梅）		
⑥ 萌《もえ》黄《ぎ》の匂《におい》（もえぎのにほひ）	一	淡萌黄より淡く	淡萌黄より淡く	淡萌黄より淡く

もえぎのにほひ。
うへはうすくて。したへこくにほひて。くれなゐ《(紅)》のひとへ。

	二	三	四	五	六
	五ツ衣				単
	淡萌黄	萌黄	同	濃萌黄	紅
	淡萌黄	萌黄	同	濃萌黄	
	淡萌黄	萌黄	同	濃萌黄	

淡《うす》萌《もえ》黄《ぎ》

うすもえぎ。
おもてはみなうすあおにて。うらのすこしこきなり。これもくれなゐ《(紅)》のひとへ。

一	二	三	四	五	六
五ツ衣					単
淡萌黄	同	同	同	同	紅
淡青	同	同	同	同	
青	同	同	同	同	

柳《やなぎ》

やなぎ。
おもてはみなしろ《(白)》くて。うらみなうすあを《(淡青)》。くれなゐ《(紅)》のひ

一	二	三	四	五
五ツ衣				
柳	同	同	同	同
白	同	同	同	同
淡青	同	同	同	同

とへ。又うらにほひ《(匂)》ておもてはしろくて。うらはしたへこくにほふ。

六	単	紅		

十月一日よりねりぎぬ《(練衣)》わたいれてきる。きくのやうやう。

註、菊の名称は書かれていないが、次の白菊・黄菊とされている。

白《しら》菊《ぎく》（か）

しらぎく（か）。おもてはみなすはう《(蘇芳)》のにほひ《(匂)》。うらみなしろし《(白)》。あを《(青)》きひとへ。

一	五ツ衣	濃蘇芳	濃蘇芳	白
二		蘇芳	蘇芳	同
三		同	同	同
四		淡蘇芳	淡蘇芳	同
五		同	同	同
六	単	青		

⑦ 黄《き》菊《ぎく》（か）

きぎく（か）。おもてすはう《(蘇芳)》のにほひ《(匂)》。うす

一	五ツ衣	蘇芳	蘇芳	蘇芳
二		淡蘇芳	淡蘇芳	淡蘇芳
三		同	同	同
四		淡黄	淡黄	淡黄

きなる二。あをき《(青)》か。こきうすきくれなゐ《(紅)》のひとへ。	五	淡黄	淡黄	淡黄
	六 単	青（又は濃・淡紅）		

もみぢ《(紅葉)》のやうやう《(様々)》。

⑧ 紅《くれない》紅葉《もみじ》（くれなゐもみぢ）	一（五ツ衣）	紅	紅	紅
くれなゐもみぢ。くれなゐ《(紅)》。やまぶき。きなる。あをき《(青)》。こきうすき。くれなゐのひとへ。	二（五ツ衣）	山吹	淡朽葉	黄
	三（五ツ衣）	黄	黄	同
	四（五ツ衣）	濃青	濃青	濃青
	五（五ツ衣）	淡青	淡青	淡青
	六 単	紅		

⑨ 櫨《はじ》紅葉《もみじ》（はじもみぢ）	一（五ツ衣）	黄	黄	黄
はじもみぢ。（きなるひとつにてやまぶきをにほはかすなり）きなる二。やまぶき。くれな《(紅)》	二（五ツ衣）	山吹淡く	淡朽葉より淡く	淡朽葉より淡く
	三（五ツ衣）	山吹	淡朽葉	淡朽葉
	四（五ツ衣）	紅	紅	紅
	五（五ツ衣）	蘇芳	蘇芳	蘇芳

ゐ。すはう《(蘇芳)》。くれなゐのひとへ。

六 単	紅		

⑩ 青《あお》紅葉《もみじ》（あをもみぢ）

あをもみぢ。あを《(青)》きこきうすき。きなる。やまぶき。くれなゐ《(紅)》。すはう《(蘇芳)》のひとへ。

一（五ツ衣）	青	青	青
二（五ツ衣）	淡青	淡青	淡青
三（五ツ衣）	黄	黄	黄
四（五ツ衣）	山吹	淡朽葉	同
五（五ツ衣）	紅	紅	紅
六 単	蘇芳		

⑪ 楓《かえで》紅葉《もみじ》（蝦手紅葉）（かへでもみぢ）

かへでもみぢ。うすあを二。きなる。やまぶき。くれなゐ《(紅)》。くれなゐのひとへにても。すはう《(蘇芳)》のひとへにても。

一（五ツ衣）	淡青	淡青	淡青
二（五ツ衣）	同	同	同
三（五ツ衣）	黄	黄	黄
四（五ツ衣）	山吹	淡朽葉	同
五（五ツ衣）	紅	紅	紅
六 単	蘇芳（又は紅）		

⑫　捩《もじ》り紅葉《もみじ》（もぢりもみぢ）

もぢりもみぢ。
あを《（青）》きこきうすき二。きなる。
やまぶき。くれなゐ《（紅）》。くれな
ゐのひとへ。

註、「捩り」は裏が表色の逆の意である。

一	五ツ衣	青	青	蘇芳
二		淡青	淡青	紅
三		黄	黄	淡朽葉
四		山吹	淡朽葉	黄
五		紅	紅	淡青
六	単	同		

五せち《（節）》よりはるまできるいろ。

⑬　紫《むらさき》の匂《におい》（むらさきのにほひ）

むらさきのにほひ。
うへこきむらさきよりしたへ
うすくにほ《（匂）》ひて。くれなゐ《（紅）》の
ひとへ。

一	五ツ衣	濃紫	濃紫	濃紫
二		紫	紫	紫
三		同	同	同
四		淡紫	淡紫	淡紫
五		同より淡く	同より淡く	同より淡く
六	単	紅		

⑭ 紫《むらさき》の薄《うす》様《よう》（むらさきのうすやう）

むらさきのうすやう。うへよりしたへうすくて三。しろき二。しろきひとへ。

一	五ツ衣	紫	紫	紫
二	五ツ衣	同淡く	淡紫	淡紫
三	五ツ衣	同より淡く	同より淡く	同より淡く
四	五ツ衣	白	白	白
五	五ツ衣	同	同	同
六	単	同		

⑮ 裏《うら》陪《まさり》紅《こう》梅《ばい》

うらまさりたるこうばい。おもてうすくてうらまさりてあを(青)きひとへ。

一	五ツ衣	裏陪紅梅	淡紅梅	紅梅
二	五ツ衣	同	同	同
三	五ツ衣	同	同	同
四	五ツ衣	同	同	同
五	五ツ衣	同	同	同
六	単	青		

⑯ 山《やま》吹《ぶき》の匂《におい》（やまぶきのひほひ）

やまぶきのにほひ。うへこくてしたへき(黄)なるまで

一	五ツ衣	山吹濃く	朽葉	濃黄
二	五ツ衣	同淡く	淡朽葉	黄
三	五ツ衣	同	同	同
四	五ツ衣	同より淡く	同より淡く	同より淡く

にほひ《(匂)》て。あを《(青)》きひとへ。	五		黄	黄	濃黄より淡く
	六	単	青		
⑰ 裏《うら》山《やま》吹《ぶき》 うらやまぶき。おもてみなき《(黄)》なり。うらみなこきやまぶき。あを《(青)》きひとへ。	一	五ツ衣	裏山吹	黄	濃山吹
	二		同	同	同
	三		同	同	同
	四		同	同	同
	五		同	同	同
	六	単	青		
⑱ 花《はな》山《やま》吹《ぶき》 はなやまぶき。うへよりしたまでみな中らいろのやまぶき也。あを《(青)》きひとへ。	一	五ツ衣	花山吹	淡朽葉	黄
	二		同	同	同
	三		同	同	同
	四		同	同	同
	五		同	同	同
	六	単	青		
梅《うめ》染《ぞめ》(むめぞめ)	一		梅染	白	濃蘇芳

むめぞめ。
おもてはみなしろ《(白)》くて。うら
みなこきすはう《(蘇芳)》。あを《(青)》きひと
へ。

二（五ツ衣）	梅染	白	濃蘇芳
三（五ツ衣）	同	同	同
四（五ツ衣）	同	同	同
五（五ツ衣）	同	同	同
六 単	青		

⑲ 梅《うめ》 重《がさね》
（むめがさね）

むめがさね。（うへこうばいなるもあかいろなるもあるなり。）
うへしろ《(白)》きこうばい《(紅梅)》にほ《(匂)》ひて。
くれなゐ《(紅)》一。こきすはう《(蘇芳)》。こ
きひとへ。あを《(青)》きひとへも心
心なり。

一（五ツ衣）	淡紅梅より淡く	淡紅梅より淡く	淡蘇芳
二（五ツ衣）	淡紅梅	淡紅梅	同
三（五ツ衣）	紅梅	紅梅	蘇芳
四（五ツ衣）	紅	紅	紅
五（五ツ衣）	濃蘇芳	濃蘇芳	濃蘇芳
六 単	濃紫（又は青）		

⑳ 雪《ゆき》 の 下《した》

ゆきのした。
しろ《(白)》き二。こうばい《(紅梅)》にほ《(匂)》ひて

一（五ツ衣）	白	白	白
二（五ツ衣）	同	同	同
三（五ツ衣）	紅梅	紅梅	蘇芳
四（五ツ衣）	淡紅梅	淡紅梅	淡蘇芳

三。あを《(青)》きひとへ。

五	淡紅梅より淡く	淡紅梅より淡く	淡蘇芳より淡く
六 単	青		

㉑ 紫《むらさき》村《むら》濃《ご》

むらさきむらご。むらさきにほひ《(匂)》て三。あを《(青)》きこきうすき二。くれなゐ《(紅)》のひとへ。

一	五ツ衣	紫	紫	紫
二		淡紫	淡紫	淡紫
三		同より淡く	同より淡く	同より淡く
四		濃青	濃青	濃青
五		淡青	淡青	淡青
六 単		紅	紅	

㉒ 二《ふた》つ色《いろ》

ふたついろ。うすいろ二。うらやまぶき二。もえぎ二。くれなゐ《(紅)》のひとへがさね。

一	五ツ衣	薄色	薄色	薄色
二		同	同	同
三		裏山吹	黄	紅
四		同	同	同
五		萌黄	萌黄	萌黄
六		同	同	同
七単		紅単重		

ふたついろは。もえぎをうへにかさぬることもあるとかや。されどつねにはこの定にうすいろをうへなり。かずおほくするには。こうばいなどこそ。

㉓ 色《いろ》々《いろ》

いろいろ。

うすいろ一。もえぎ一。こうばい一。うらやまぶき一。うらこきすはう《(蘇芳)》一。くれなゐ《(紅)》のひとへ。

又さくらつゝじとて。さくらのきぬ。さくらもえぎのうはぎ。かばざくら《(樺桜)》のからきぬ《(背子)》などきる。

一	五ツ衣	薄色	薄色	薄色
二	五ツ衣	萌黄	萌黄	萌黄
三	五ツ衣	紅梅	紅梅	蘇芳女ばう《(房)》
四	五ツ衣	裏山吹	黄	紅
五	五ツ衣	裏濃蘇芳	蘇芳	濃蘇芳
六	単	紅		

四月うすぎぬにきるいろ。

㉔ 菖蒲《しょうぶ》 (さうぶ)

さうぶ。

あをき《(青)》。こき。うすき。しろき《(白)》。こうばい《(紅梅)》。こきうすき。

しろきすゞしのひとへ。

一	五ツ衣	青	青	青
二	五ツ衣	淡青	淡青	淡青
三	五ツ衣	白	白	白
四	五ツ衣	紅梅	紅梅	蘇芳
五	五ツ衣	淡紅梅	淡紅梅	淡蘇芳
六	単	白		

㉕ 若《わか》菖《しょう》蒲《ぶ》（わかさうぶ）

わかさうぶ。おもてあを《(青)》きこきうすき三。ふたつはうらしろ《(白)》し。しろおもて二。うらこうばい《(紅梅)》のにほ《(匂)》ひ三。しろきすゞしのひとへ。

一（五ツ衣）	青	青	白
二（五ツ衣）	淡青	淡青	同
三（五ツ衣）	同	同	紅梅
四（五ツ衣）	白	白	淡紅梅
五（五ツ衣）	同	同	同より淡く
六 単	同		

㉖ 藤《ふじ》（ふぢ）

ふぢ。うすいろにほ《(匂)》ひて三。しろ《(白)》きおもて二がうらあを《(青)》き。こきうすき。しろきすゞしのひとへ。又くれなゐ《(紅)》のすゞしのひとへ。

一（五ツ衣）	淡紫	淡紫	淡紫
二（五ツ衣）	同	同	同
三（五ツ衣）	同より淡く	同より淡く	同より淡く
四（五ツ衣）	白	白	青
五（五ツ衣）	同	同	淡青
六 単	同（又は紅）		

㉗ 躑《つつ》躅《じ》

一	紅	紅	紅

つつじ。くれなゐ《(紅)》にほひ《(匂)》て三。あをき《(青)》こきうすき二。ひとへしろき《(白)》くれない。こゝろこゝろなり。

二（五ツ衣）	淡紅	淡紅	淡紅
三（五ツ衣）	同より淡く	同より淡く	同より淡く
四（五ツ衣）	青	青	青
五（五ツ衣）	淡青	淡青	淡青
六　単	白（又は紅）		

㉘ 花《はな》橘《たちばな》

花たちばな。やまぶきこきうすき二。しろ《(白)》き一。あを《(青)》きこきうすき。しろひとへ。あをひとへ。

一（五ツ衣）	山吹濃く	淡朽葉	黄
二（五ツ衣）	同淡く	同より淡く	淡黄
三（五ツ衣）	白	白	白
四（五ツ衣）	青	青	青
五（五ツ衣）	淡青	淡青	淡青
六　単	白（又は青）		

卯《うの》花《はな》

うのはな。おもてみなしろ《(白)》くてうらしろき二。きなる《(黄)》一。あを《(青)》きこき

一（五ツ衣）	卯花	白	白
二（五ツ衣）	同	同	同
三（五ツ衣）	同	同	黄
四（五ツ衣）	同	同	青
五（五ツ衣）	同	同	淡青

うすき二。うらしろきひとへ。

六	単	白		

㉙ 撫《なでし》子《こ》

なでしこ。おもてはすはう《(蘇芳)》にほひ《(匂)》て三。しろ《(白)》きおもて二。うらすはう。くれ《(紅)》なゐ。こうば《(紅梅)》い。あを《(青)》きこきうすき。しろき。くれなゐひとへなり。

一	五ツ衣	蘇芳	蘇芳	蘇芳
二		淡蘇芳	淡蘇芳	紅
三		同	同	紅梅
四		白	白	青
五		同	同	淡青
六	単	同（又は紅）		

白《しろ》撫《なでし》子《こ》

しろなでしこ。おもてみなしろ《(白)》くて。うらす
はう《(蘇芳)》。くれ《(紅)》なゐ。こうば《(紅梅)》い。
あを《(青)》きこきうすき。しろき。
くれなゐひとへ。こゝろごゝ

一	五ツ衣	白	白	蘇芳
二		同	同	紅
三		同	同	紅梅
四		同	同	青
五		同	同	淡青
六	単	同（又は紅）		

ろなり。				
牡《ぼ》丹《たん》（ぼうたん） ぼうたん。 おもてみなうすきすはう《（蘇芳）》。うらみなしろし《（白）》。すゞしのひとへ。	一 二 三 四 五 五ツ衣 六 単	牡丹 同 同 同 同 すゞし（色の記載なし）	淡蘇芳 同 同 同 同	白 同 同 同 同
若《わか》楓《かえで》（わかかへで） わかかへで。 みなうすもえぎ。くれなゐ《（紅）》。しろき《（白）》ひとへ。心心也。	一 二 三 四 五 五ツ衣 六 単	若楓 同 同 同 同 紅（又は白）	淡萌黄 同 同 同 同	淡萌黄 同 同 同 同
㉚ 餅《もち》躑《つつ》躅《じ》	一	蘇芳	蘇芳	蘇芳

もちつゝじ。
すはう《蘇芳》三にほひ《匂》て。あを《青》きこきうすき。しろ《白》きひとへ。

二	五ツ衣	淡蘇芳	淡蘇芳	淡蘇芳
三		同	同	同
四		青	青	青
五		淡青	淡青	淡青
六	単	白		

㉛ 杜若《かきつばた》(かいつばた)

かいつばた。
うすいろにほひ《匂》て三。あを《青》きこきうすき。くれ《紅》なゐのひとへつねのことなり。

一	五ツ衣	淡紫	淡紫	淡紫
二		薄色	薄色	薄色
三		同	同	同
四		青	青	青
五		淡青	淡青	淡青
六	単	紅		

㉜ 芒《すすき》(薄)

すゝき。
すはう《蘇芳》のこきうすき三。あを《青》きこきうすき。しろ《白》きひとへ。

一		蘇芳	蘇芳	蘇芳
二	五ツ衣	淡蘇芳	淡蘇芳	淡蘇芳
三		同	同	同
四		青	青	青
五		淡青	淡青	淡青

六単	白		

㉝ 女郎花《おみなえし》(をみなべし)

をみなべし。

おもてをみなべし。うらみなあを《(青)》し。くれなゐ《(紅)》のひとへ。

一 (五ツ衣)	女郎花	女郎花	青
二 (五ツ衣)	同	同	同
三 (五ツ衣)	同	同	同
四 (五ツ衣)	同	同	同
五 (五ツ衣)	女郎花	同	青
六単	紅		

『満佐須計装束抄』終

『女官飾鈔』

春冬のきぬの色々。

装束の名称	単より着装の順序	衣の色目の名称	表色	裏色
① 皆《みな》紅《くれない》の衣《きぬ》（みなくれなゐのきぬ）	一 小袿《こうちき》	松重《まつがさね》	青	紫
［本文］	二 表着《うわぎ》	白	白	白
みなくれなゐのきぬ。くれなゐのひとへ。白きうはぎ。松がさねの小うちぎ。	三 五ツ《いつつ》衣《ぎぬ》	紅	紅	紅
註、「皆紅」とは、五ツ衣の表裏共に紅の義で、「紅匂」、「紅薄様」に対する襲ねの名称である。	四	同	同	同
	五	同	同	同
	六	同	同	同
	七	同	同	同
	八 単《ひとえ》	同		
② 紅《くれない》匂《におい》の衣《きぬ》（くれなゐにほひのきぬ）	一 小袿	赤色	赤	赤
くれなゐにほひのきぬ。	二 表着	萌黄	萌黄	萌黄
	三	紅	紅	紅

註、○内数字は色票に掲載の番号である。

うへくれないにうす紅をかさぬ。

紅梅のひとへ。もえぎのうはぎ。赤いろの小袿。

註、「赤色」は赤白橡と緋を指す場合があるが、この書にあげられるのは緋（色票の赤）をさしている。

四	五ツ衣	紅	紅	紅
五	五ツ衣	同	同	同
六	五ツ衣	淡紅	淡紅	淡紅
七	五ツ衣	同より淡く	同より淡く	同より淡く
八	単	紅梅		

③ 紅《くれない》の薄《うす》様《よう》（くれなゐのうすやう）

うへうれなゐに白きをかさぬ。

くれなゐのうすやう。白きひとへ。桜のうはぎ。えびぞめの小袿。

註、「薄様」は「薄葉」とも書かれ、本来は鳥ノ子紙の薄漉きのものをいうが、ここでは装束名に用いている。その襲ね方はさきにのべた。

一	小袿	葡萄	蘇芳	纁
二	表着	桜	白	赤花
三	五ツ衣	紅	紅	紅
四	五ツ衣	淡紅	淡紅	淡紅
五	五ツ衣	同より淡く	同より淡く	同より淡く
六	五ツ衣	白	白	白
七	五ツ衣	同	同	同
八	単	同		

④ 紫《むらさき》匂《におい》（むらさきにほひ）

紫にほひ。

一	小袿	萌黄	萌黄	萌黄
二	表着	裏山吹	黄	紅
三		紫	紫	紫

うへむらさきにうす紫をかさぬ。
くれなゐのひとへ。うら山吹のうはぎ。もえぎの小袿。

四	五ツ衣	紫	紫	紫
五		同	同	同
六		淡紫	淡紫	淡紫
七		同より淡く	同より淡く	同より淡く
八	単	紅		

⑤ 紫《むらさき》の薄《うす》様《よう》（むらさきのうすやう）

むらさきのうすやう。
うへ紫に白きをかさぬ。
白きひとへ。紅はわろき也。萌黄のうはぎ。紅梅の小うちぎ。

一	小袿	紅梅	紅梅	蘇芳
二	表着	萌黄	萌黄	萌黄
三	五ツ衣	紫	紫	紫
四		淡紫	淡紫	淡紫
五		同より淡く	同より淡く	同より淡く
六		白	白	白
七		同	同	同
八	単	同		

⑥ 梅《うめ》の衣《きぬ》

梅のきぬ。

一	小袿	赤色	赤	赤
二	表着	紅梅	紅梅	蘇芳
三		梅	白	同

おもて白し。うらすわう。

すはうのひとへ。紅梅のうはぎ。あかいろの小うちぎ。

四	五ツ衣	梅	白	蘇芳
五		同	同	同
六		同	同	同
七		同	同	同
八	単	蘇芳		

⑦ 莟《つぼみ》紅《こう》梅《ばい》

つぼみ紅梅。

表紅梅。うら蘇芳。

青きひとへ。萌黄のうはぎ。えびぞめの小うちぎ。

一	小袿	葡萄	蘇芳	縹
二	表着	萌黄	萌黄	萌黄
三	五ツ衣	莟紅梅	紅梅	蘇芳
四		同	同	同
五		同	同	同
六		同	同	同
七		同	同	同
八	単	青		

⑧ 裏《うら》陪《まさり》紅《こう》梅《ばい》

うらまさりの紅梅。

一	小袿	赤色	赤	赤
二	表着	萌黄	萌黄	萌黄
三		裏陪紅梅	紅梅	紅

表紅梅。裏紅。

まさりたるひとへ。もえぎのうはぎ。赤色の小袿。

註、「まさる」は「濃」の意。

四	五ツ衣	裏陪紅梅	紅梅	紅
五		同	同	同
六		同	同	同
七		同	同	同
八	単	濃紅梅		

⑨ 紅《こう》梅《ばい》重《がさね》

紅梅がさね。くれなゐのひとへ。えびぞめのうはぎ。もえぎの小うちぎ。

一	小袿	萌黄	萌黄	萌黄
二	表着	葡萄	蘇芳	縹
三	五ツ衣	紅梅	紅梅	蘇芳
四		同	同	同
五		同	同	同
六		同	同	同
七		同	同	同
八	単	紅		

⑩ 紅《こう》梅《ばい》匂《におい》（こうばいにほひ）

紅梅にほひ。

一	小袿	葡萄	蘇芳	縹
二	表着	萌黄	萌黄	萌黄
三		濃紅梅	濃紅梅	濃蘇芳

まさりたるひとへ《うへ紅梅にうす紅梅を重。》。萌黄のうはぎ。えび染めの小うちぎ。

四		紅梅	紅梅	蘇芳
五		同	同	同
六	五ツ衣	淡紅梅	淡紅梅	淡紅梅
七		同より淡く	同より淡く	同
八	単	濃紅梅		

⑪ 柳《やなぎ》

柳《表しろく。うら青。》。くれなゐのひとへ。桜もえぎのうはぎ。あかいろの小うちぎ。

一	小袿	赤色	赤	赤
二	表着	桜萌黄	萌黄	赤花
三	五ツ衣	柳	白	青
四		同	同	同
五		同	同	同
六		同	同	同
七		同	同	同
八	単	紅		

⑫ 桜《さくら》重《がさね》

さくら重ね。

一	小袿	蘇芳	蘇芳	蘇芳
二	表着	紅梅	紅梅	同
三		桜重	白	赤花

表しろく うらあかきあか花。

紅のひとへ。紅梅のうはぎ。すわうの小うちぎ。

四		桜重	白	赤花
五	五ツ衣	同	同	同
六		同	同	同
七		同	同	同
八	単	紅		

⑬ 山《やま》吹《ぶき》匂《におい》（やまぶきにほひ）

山吹にほひ。

山ぶきの衣に黄なるきぬをかさぬ。

青きひとへ。萌黄のうはぎ。えび染めの小うちぎ。

一	小袿	葡萄	蘇芳	縹
二	表着	萌黄	萌黄	萌黄
三	五ツ衣	山吹	淡朽葉	黄
四		同より淡く	同より淡く	同より淡く
五		濃黄	濃黄	濃黄
六		黄	黄	黄
七		淡黄	淡黄	淡黄
八	単	青		

⑭ 花《はな》山《やま》吹《ぶき》

花山吹。

一	小袿	青	青	青
二	表着	裏山吹	黄	紅
三		花山吹	淡朽葉	黄

紅《表うすくち葉。うら黄いろ。》のひとへ。うら山吹のうはぎ。青き小うちぎ。

四	五ツ衣	花山吹	淡朽葉	黄
五		同	同	同
六		同	同	同
七		同	同	同
八	単	紅		

⑮ 裏《うら》山《やま》吹《ぶき》

うら山吹。青き《表黄色。うらくれなゐ。》ひとへ。魚龍のうはぎ。えび染の小袿。

註、「魚龍」には「山鳩色」(『桃花蘂葉』)という説と、「浪に魚の紋のある綾」(『貞丈雑記』)の二説があるが、本書は後説の白綾とみる。

一	小袿	葡萄	蘇芳	縹
二	表着	魚龍	白	白
三	五ツ衣	裏山吹	黄	紅
四		同	同	同
五		同	同	同
六		同	同	同
七		同	同	同
八	単	青		

⑯ 紅《くれない》躑《つつ》躅《じ》(くれなゐつつじ)

くれなゐつつじ。

一	小袿	山吹	淡朽葉	黄
二	表着	松重	青	紫
三		紅躑躅	蘇芳	淡紅

青きひとへ《おもてすわう。うらうすくれなゐ。》。松がさねのうはぎ。山ぶきの小袿。

四	五ツ衣	紅躑躅	蘇芳	淡紅
五		同	同	同
六		同	同	同
七		同	同	同
八	単	青		

躑《つつ》躅《じ》

つつじ。萌黄《表すわう。うら青し。》のひとへ。かばざくらのうはぎ。藤の小うちぎ。

一	小袿	藤	薄色	萌黄
二	表着	樺桜	蘇芳	赤花
三	五ツ衣	躑躅	同	青
四		同	同	同
五		同	同	同
六		同	同	同
七		同	同	同
八	単	萌黄		

⑰ 藤《ふじ》重《がさね》（ふぢがさね）

藤がさね。

一	小袿	松重	青	紫
二	表着	裏山吹	黄	紅
三		藤重	淡紫	青

おもてうす紫。うら青し。

紅のひとへ。うら山吹のうはぎ。松がさねの小うちぎ。

		表	中	裏
四		藤重	淡紫	青
五	五ツ衣	同	同	同
六		同	同	同
七		同	同	同
八	単	紅		

⑱ 色《いろ》々《いろ》五《いつつ》

色々五。

うすいろ。こうばい。もえぎ。すわう。山ぶき。

くれなゐのひとへ。紅梅のうはぎ。萌黄の小うちぎ。

		表	中	裏
一	小袿	萌黄	萌黄	萌黄
二	表着	紅梅	紅梅	紅梅
三		薄色	薄色	薄色
四		紅梅	紅梅	蘇芳
五	五ツ衣	萌黄	萌黄	萌黄
六		蘇芳	蘇芳	蘇芳
七		山吹	淡朽葉	黄
八	単	紅		

七《なな》重《え》（ななへ）

七重。

		表	中	裏
一	小袿	葡萄	蘇芳	縹
二	表着	萌黄	萌黄	萌黄
三		白緑	淡緑	淡緑

うへ白き六。くれなゐのこきうすき二かさね。あをきこきうすき一かさね。うすいろのこきうすき一かさね。うへともに七重也

紅のひとへ。萌黄のうはぎ。えび染めの小うちぎ。

四	五	六	七	八	九	十
		五ツ衣				単
濃紅	淡紅	濃青	淡青	薄色	同より淡く	紅
濃紅	淡紅	濃青	淡青	薄色	同より淡く	
濃紅	淡紅	濃青	淡青	薄色	同より淡く	

白《しろ》薄《うす》様《よう》（しろうすやう）

しろうすやう。

うへもかさねも白きをいふにや。

白きひとへ。紅梅のうはぎ。くれなゐの小袿。

一	二	三	四	五	六	七	八
小袿	表着			五ツ衣			単
紅	紅梅	白	同	同	同	同	同
紅	紅梅	白	同	同	同	同	
紅	蘇芳	白	同	同	同	同	

⑲ 松《まつ》重《がさね》

一
小袿
蘇芳
蘇芳
蘇芳

松がさね。表あを。裏紫。
くれなゐのひとへ。萌黄のうはぎ。すわうの小袿。

二	表着	萌黄	萌黄	萌黄
三	五ツ衣	松重	青	紫
四		同	同	同
五		同	同	同
六		同	同	同
七		同	同	同
八	単	紅		

⑳　樺《かば》桜《ざくら》

かばざくら。表すわう。うらあか花。
もえぎのひとへ。桜のうはぎ。
柳の小うちぎ。

一	小袿	柳	白	赤花
二	表着	桜	同	同
三	五ツ衣	樺桜	蘇芳	同
四		同	同	同
五		同	同	同
六		同	同	同
七		同	同	同
八	単	萌黄		

㉑　桜《さくら》萌《もえ》黄《ぎ》

一	小袿	蘇芳	蘇芳	蘇芳

さくらもえぎ。

紅のひとへ。表もえぎ。うらあか花。紅梅のうはぎ。

すわうの小うちぎ。

二	表着	紅梅	紅梅	蘇芳
三	五ツ衣	桜萌黄	萌黄	赤花
四		同	同	同
五		同	同	同
六		同	同	同
七		同	同	同
八	単	紅		

葡《えび》萄《ぞめ》の衣《きぬ》

えび染のきぬ。

紅のひとへ。表蘇芳。うら花田。もえぎのうはぎ。

紅梅の小うちぎ。

一	小袿	紅梅	紅梅	蘇芳
二	表着	萌黄	萌黄	萌黄
三	五ツ衣	葡萄	蘇芳	縹
四		同	同	同
五		同	同	同
六		同	同	同
七		同	同	同
八	単	紅		

此内。梅、紅梅は十一月の五節より二月まで。桜、山吹は三月まで。藤は三、四月ばかり。其外の色色

は時をさだめず候。四月にはあはせ《（袷）》のきぬにも此色を用候。きぬの地はからをり《（唐織）》物二重なり。たゞのをり物。綾。何にても子細あるまじく候。常はおほやけわたくしをしなべて五ぎぬにて候。其内しかるべき御方は。七つも八つも又十も時によりてかさねられ候。唯今の人は五より外はいたく用ひ候はず候。又うちうちは衣一二をも用なり。一にひとへをかさね二三重ねたるもしさいなしと云々。うはぎ小袿などはふたへをり物。又唐をり物をも用べきにや。

夏のはじめの衣の色。

藤《ふじ》重《がさね》（ふぢがさね）

藤重ね。表うす紫。うら青。

白きすゞしのひとへ。松がさねのうはぎ。くれなゐの小うちぎ。

註、「すずし」。生絹、単に生とも書かれる。藁灰汁で未だ練らない絹で紗のように薄く軽い。ねり絹に対する古語。

一	小袿	紅	紅	紅
二	表着	松重	青	紫
三		藤重	淡紫	青
四		同	同	同
五	五ツ衣	同	同	同
六		同	同	同
七		同	同	同
八	単	白すずし		

卯《うの》花《はな》

卯花。
おもて白く。うら青し。
白きすゞしのひとへ。紅のうはぎ。えび染の小袿。

一	小袿	葡萄	蘇芳	縹
二	表着	紅	紅	紅
三	五ツ衣	卯花	白	青
四		同	同	同
五		同	同	同
六		同	同	同
七		同	同	同
八	単	白すずし		

五月五日より秋までの衣の色。

㉒ 菖蒲《あやめの》単《ひとえ》重《がさね》（あやめのひとへがさね）

あやめのひとへがさね。
表青し。うら紅梅。
すわうのうはぎ。ふたあいの小うちぎ。

一	小袿	二藍	二藍	二藍
二	表着	蘇芳	蘇芳	蘇芳
三	単重	菖蒲単重	青	紅梅

花橘単重《はなたちばなのひとへがさね》（はなたちばなのひとへがさね）花橘のひとへ重ね。白きうは着《おもてくち葉。うら青し。》。すわうの小うちぎ。	一　小袿	蘇芳	蘇芳	蘇芳
	二　表着	白	白	白
	三　単重	花橘単重	朽葉	青
㉓撫子《なでしこ》の単重《ひとへがさね》（なでしこのひとへがさね）撫子のひとへがさね《表紅梅。うら青し。》。すわうのうはぎ。紅の小うちぎ。	一　小袿	紅	紅	紅
	二　表着	蘇芳	蘇芳	蘇芳
	三　単重	撫子の単重	紅梅	青
㉔女郎花単重《おみなえしのひとえがさね》（をみなへしのひとへがさね）女郎花のひとへ重ね《おもてたて青ぬき黄色。うらあをし。》。	一　小袿	赤色	赤	赤
	二　表着	紅	紅	紅
	三　単重	女郎花単重	経青緯黄	青

紅のうはぎ。赤いろのこうちぎ。				
蘇《す》芳《おう》の単重《ひとえがさね》（すわうのひとへがさね） すわうのひとへ重ね。女郎花のうはぎ。二藍のこうちぎ。	一　小袿	二藍	二藍	二藍
	二　表着	女郎花	経青緯黄	青
	三　単重	蘇芳の単重	蘇芳	蘇芳
萩経青《はぎのたてあお》の単重《ひとえがさね》（はぎのたてあをのひとへがさね） 萩のたてあをのひとへ重ね。 表たて青くぬきすわう。うら青し。 すわうのうはぎ。をみなへしの小袿。	一　小袿	女郎花	経青緯黄	青
	二　表着	蘇芳	蘇芳	蘇芳
	三　単重	萩経青の単重	経青緯蘇芳	青
㉕　萩《はぎ》の単《ひとえ》重《がさね》（はぎのひとへがさね）	一　小袿	紅	紅	紅
	二　表着	女郎花	経青緯黄	青

萩のひとへがさね。女郎花《表すわう。うらあをし。》のうはぎ。くれなゐの小うちぎ。

三 単重	萩の単重	蘇芳	青

淡蘇芳《うすすおう》の単重《ひとえがさね》
（うすすわうのひとへがさね）

うすすわうのひとへがさね。こきすわうのうはぎ。松がさねの小うちぎ。

一 小袿	松重	青	紫
二 表着	濃蘇芳	濃蘇芳	濃蘇芳
三 単重	淡蘇芳の単重	淡蘇芳	淡蘇芳

紅《くれない》の単重《ひとえがさね》
（くれなゐのひとへがさね）

紅のひとへ重ね。二あひのうはぎ。朽葉の小袿。

一 小袿	朽葉	濃紅	濃黄
二 表着	二藍	二藍	二藍
三 単重	紅の単重	紅	紅

㉖ 二藍《ふたあい》の単重《ひとえがさね》
（ふたあひのひとへがさね）

一 小袿	蘇芳	蘇芳	蘇芳
二 表着	女郎花	経青緯黄	青

二あひのひとへ重ね。をみなへしのうはぎ。すわうの小うちぎ。

三	単重	二藍単重	二藍	二藍

㉗ 葡萄《えびぞめ》の単重《ひとえがさね》（ゑびぞめのひとへがさね）

えびぞめのひとへ重ね。白きうはぎ。紅の小袿。

一	小袿	紅	紅	紅
二	表着	白	白	白
三	単重	葡萄の単重	蘇芳	縹

白《しろ》き単《ひとえ》重《がさね》

白きひとへ重ね。紅のうはぎ。二あひの小うちぎ。

一	小袿	二藍	二藍	二藍
二	表着	紅	紅	紅
三	単重	白き単重	白	白

ひとへがさねの事。うへはすゞしの織物。したは綾のひとへひねりがさねにて候。下ざまはへいげんうす物などを用る也。あやめたちばなは五月中。なでしこは六月まで。をみなへし萩は祇園の会より秋のうちめさるべく候。うはぎ小うちぎ皆すゞしの織物。或はふたへ織物をも上ざまは用る也。

十月より五節までのきぬの色。

㉘　菊《きく》の御《おん》衣《ぞ》八《やつ》

菊の御衣八。（うへ五。すわうにほひ。した三。しろし。）

あをきひとへ。きあをうらのうはぎ。（表黄。裏青。）

りうたん（りんどう）のこうちぎ。（おもてすわう。うら青し。）

一	小袿	龍膽	蘇芳	青
二	表着	黄青裏	黄	同
三	五ツ衣（三〜十）	濃蘇芳	濃蘇芳	濃蘇芳
四		蘇芳	蘇芳	蘇芳
五		同	同	同
六		淡蘇芳	淡蘇芳	淡蘇芳
七		同	同	同
八		白	白	白
九		同	同	同
十		同	同	同
十一	単	青		

㉙　紅葉《もみじ》重《がさ》ね八《やつ》（もみぢがさねやつ）

紅葉重ね八。（黄色三山吹のうすきこき一かさね。紅のうすきこき一重ね。すわう一。合て八也。）

一	小袿	黄菊	黄	青
二	表着	菊	白	蘇芳
三	（三〜四）	黄	黄	黄
四		同	同	同

紅のひとへ。菊のうはぎ。黄ぎくの小うちぎ。

五	五ツ衣	黄	黄	黄
六		淡き山吹	淡朽葉より淡く	黄
七		濃き山吹	淡朽葉	同
八		淡紅	淡紅	淡紅
九		濃紅	濃紅	紅
十		蘇芳	蘇芳	蘇芳
十一	単	紅		

㉚ 白《しら》菊《ぎく》

白菊。表白。裏すわう。

くれなゐのひとへ。黄菊のうは着。すわうの小うちぎ。

一	小袿	蘇芳	蘇芳	蘇芳
二	表着	黄菊	黄	青
三	五ツ衣	白菊	白	蘇芳
四		同	同	同
五		同	同	同
六		同	同	同
七		同	同	同
八	単	紅		

黄《き》菊《ぎく》

一	小袿	葡萄	蘇芳	縹

黄ぎく。表黄。裏青。

くれなゐのひとへ。白きうはぎ。えびぞめの小うちぎ。

二	表着	白	白	白
三	五ツ衣	黄菊	黄	青
四		同	同	同
五		同	同	同
六		同	同	同
七		同	同	同
八	単	紅		

㉛ 移《うつろい》菊《ぎく》（うつろひぎく）

うつろひ菊。おもて中紫。うら青し。

紅のひとへ。松重ねのうはぎ。あをき小袿。

一	小袿	青	青	青
二	表着	松重	同	紫
三	五ツ衣	移菊	中紫	青
四		同	同	同
五		同	同	同
六		同	同	同
七		同	同	同
八	単	紅		

㉜ 黄《き》紅《もみ》葉《じ》（きもみぢ）

一	小袿	青	青	青

黄もみぢ。表黄いろ。うらすわう。くれなゐのひとへ。すわうのうはぎ。青き小うちぎ。

二	表着	蘇芳	蘇芳	蘇芳
三		黄紅葉	黄	同
四		同	同	同
五	五ツ衣	同	同	同
六		同	同	同
七		同	同	同
八	単	紅		

櫨《はじ》紅《もみ》葉《じ》（はじもみぢ）

はじ紅葉。表すわう。うら黄。紅のひとへ。えびぞめのうはぎ。すわうの小うちぎ。

一	小袿	蘇芳	蘇芳	蘇芳
二	表着	葡萄	同	纁
三		櫨紅葉	同	黄
四		同	同	同
五	五ツ衣	同	同	同
六		同	同	同
七		同	同	同
八	単	紅		

楓《かえで》紅《もみ》葉《じ》（かへでもみぢ）

一	小袿	葡萄	蘇芳	纁

かへで紅葉。

表うす青。うら黄。

すわうのひとへ。くれなゐのうはぎ。えびぞめの小うちぎ。

二	表着	紅	紅	紅
三	五ツ衣	楓紅葉	淡青	黄
四		同	同	同
五		同	同	同
六		同	同	同
七		同	同	同
八	単	蘇芳		

『女官飾抄』終

『曇華院殿装束抄』五ツ衣単色目事

装束の名称	単より着装の順序		彩色表示による衣の色
① 紅《くれない》の薄様《うすよう》（くれなゐのうすやう）	一	表着《うわぎ》	朱
	二	五ツ衣《いつつぎぬ》（二〜六）	同
	三		丹
	四		淡紅梅
	五		白
	六		同
	七	単《ひとえ》	同
③ 紅梅匂《こうばいにおい》（こうばいにほひ）つぼみ紅梅とも。	一	表着	紅梅
	二	五ツ衣（二〜四）	同
	三		丹
	四		朱 紅梅所たん重ね
② 紫《むらさき》の薄様《うすよう》（むらさきのうすやう）	一	表着	紫
	二	五ツ衣（二〜六）	同
	三		淡紫
	四		白紫にほひ
	五		白
	六		同
	七	単	同
④ 萌黄匂《もえぎにおい》（もえぎにほひ）	一	表着	草具 こく青茶
	二	五ツ衣（二〜四）	同
	三		淡青
	四		六

註、○内数字は色票掲載番号を示す。この装束抄の衣色の表示は顔料による彩色法によっているため、それに該当する染色は別表の通りである。（但し、近似表示である。）

この書に「具」とあるのは、顔料に胡粉を混ぜたもの、「六」とあるのは緑青の略号である。表の一部に縦線でその位置にあらわれる別色のフチトリの線がひかれているが省略。

五		朱紅梅所たん重ね
六		同
七	単	六

⑤ 柳桜《やなぎざくら》は裏薄色《うらうすいろ》

一	表着	白
二	五ツ衣	同
三		同
四		同
五		同
六		同
七	単	朱

⑥ 梅重《うめがさね》

一	表着	白
二	五ツ衣	同
三		朱少し淡く上の方重ね
四		同濃く
五		同又濃く

五		六
六		同
七	単	朱

桜《さくら》

一	表着	白
二	五ツ衣	同
三		同
四		同
五		同
六		一《ママ》（白）
七	単	六

⑦ 雪の下《ゆきのした》

一	表着	白
二	五ツ衣	同
三		同
四		朱うすく中
五		同極緋

六	七
（五ツ衣）	単
同 極朱	六

⑧ 紅紅葉《くれないもみじ》（くれなゐもみぢ）

一	二	三	四	五	六	七
表着	五ツ衣					単
朱 あか紅也	同 すこしくろめ	丹	黄	六	朱 こく	朱

⑩ 松桜《まつざくら》

一	二	三	四	五	六
表着	五ツ衣				
六	同	同	うるみえんじの具 黒味をさす	白	同 うるみ

六	七
（五ツ衣）	単
同 淡く	六

⑨ 山吹《やまぶき》

一	二	三	四	五	六	七
表着	五ツ衣					単
丹	同	淡紅梅	丹	黄	同	六

⑪ 樺桜《かばざくら》

一	二	三	四	五	六
表着	五ツ衣				
紫	同	同	同	同	同

七	単	朱

⑫ 龍膽《りんどう》（りむだう）

一	表着	紫
二	五ツ衣	同
三		淡紫成程淡く白めがちに
四		同
五		六
六		同
七	単	朱

⑭ 黄《き》櫨《はじ》紅葉《もみじ》（きはじもみぢ）

紅のひとへもん也。

一	表着	黄
二	五ツ衣	同
三		同
四		丹
五		同
六		同
七	単	朱

七	単	朱

⑬ 散《ちり》紅葉《もみじ》（ちりもみぢ）

一	表着	六
二	五ツ衣	同
三		同
四		黄
五		朱
六		同
七	単	同

⑮ 楓《かえで》紅葉《もみじ》（かへでもみぢ）

一	表着	六
二	五ツ衣	同
三		同
四		黄
五		丹
六		同
七	単	朱

⑯ 裏菊《うらぎく》

一	表着	白
二	五ツ衣	同
三		同
四		黄
五		六
六		同
七	単	朱

⑰ 松重《まつがさね》

一	表着	紫具えんぐ少心計あかみさす
二	五ツ衣	同
三		同
四		六
五		同
六		同
七	単	朱

⑱ 紫村濃《むらさきむらご》

一	表着	藤色
二	五ツ衣	同
三		同うすく
四		同
五		六
六		同
七	単	朱

⑲ 薄絹菖蒲《うすぎぬしょうぶ》（うすぎぬしやうぶ）

一	表着	六
二	五ツ衣	同
三		同一つくさしる引
四		白
五		朱
六		紅梅おうとまぜてかほた（ママ）
七	単	白

⑳ 躑躅《つつじ》ひとえ

一	表着	朱

㉑ 花橘《はなたちばな》

一	表着	朱肉皮引たんにせて紅也

共紅も心也。

二
三
四
五
六　五ツ衣
七　単　白

二	五ツ衣	朱
三	五ツ衣	同
四	五ツ衣	紅梅たんぐ
五	五ツ衣	六
六	五ツ衣	同草汁ひく
七	単	白

㉒ 藤《ふじ》（ふぢ）

しろきすゞしのひとへも心也。

一	五ツ衣	紫中うすし成程すこしごふん入て
二	五ツ衣	淡紫えんぐ
三	五ツ衣	同
四	五ツ衣	白
五	五ツ衣	同
六	単	朱

㉔ 六衣桜《むつぎぬさくら》

一	小袿（か？）	紫

すゞしひとへはあおきも心也。

二	五ツ衣	朱肉皮引たんにせて紅也
三	五ツ衣	同
四	五ツ衣	白
五	五ツ衣	六
六	五ツ衣	同草汁ひく
七	単	白

㉓ 六衣二色《むつぎぬふたいろ》

一	小袿（か？）	淡紫えんぐ
二	表着	同
三	五ツ衣	同
四	五ツ衣	黄
五	五ツ衣	同
六	五ツ衣	六
七	五ツ衣	同
八	単	朱

㉕ 六衣色々《むつぎぬいろいろ》

一	小袿（か？）	淡紫えんぐ

躑躅《つつじ》

二	表着	淡紫えんぐ白
三	五ツ衣	同
四		白
五		同
六		六
七		同
八	単	朱

㉖ 蘇芳匂《すおうにおい》（すわうにほひ）

又きく共いふ。

一	小袿（か？）	白
二	表着	同
三	五ツ衣	同
四		淡紫上のかたへかさね
五		同又少し
六		紫
七		六
八	単	同

二	表着	淡紫えんぐ
三	五ツ衣	同
四		朱
五		六
六		黄
七		朱
八	単	同

㉗ 移菊《うつろいぎく》（うつろひぎく）

一	小袿（か？）	紫
二	表着	同
三	五ツ衣	淡紫
四		同
五		同
六		同
七		同
八	単	六

『曇華院殿装束抄』終

附 かさねの色目色票に使用の染・織色48種と、曇華院殿装束抄に記載の彩色名との色調関連一覧表

色票番号	染色名	染色近似の彩色名
①	濃紅梅《こきこうばい》	
②	中紅梅《なかこうばい》	紅梅
③	淡紅梅《うすこうばい》(A)	淡紅梅
④	淡紅梅《うすこうばい》(B)	
⑤	濃紅《こきくれない》	濃紅
⑥	中紅《なかくれない》	
⑦	淡紅《うすくれない》(A)	
⑧	淡紅《うすくれない》(B)	
⑨	濃赤《こきあか》	極朱《ごくしゅ》
⑩	中赤《なかあか》	朱《しゅ》
⑪	淡赤《うすあか》	丹《たん》
	経紅緯洗黄共	淡イ朱

色票番号	染色名	染色近似の彩色名
⑫	檜皮色《ひはだいろ》	
⑬	濃香《こきこう》	
⑭	中香《なかこう》	
⑮	淡香《うすこう》	
⑯	濃朽葉《こきくちば》	
⑰	中朽葉《なかくちば》	
⑱	淡朽葉《うすくちば》(A)	
⑲	淡朽葉《うすくちば》(B)	
⑳	山吹色《やまぶきいろ》	
	経紅緯黄共	
㉑	鳥《とり》ノ子色《こいろ》	ウルミ白
㉒	濃黄《こきき》	

色票番号	染色名	染色近似の彩色名
㉓	中黄《なかき》	黄
㉔	淡黄《うすき》	
㉕	女郎花《おみなえし》	
	経青緯黄共	
㉖	濃萌黄《こきもえぎ》	草具こく青茶
㉗	中萌黄《なかもえぎ》	緑青ニ草ノ汁引く
㉘	淡萌黄《うすもえぎ》(A)	
㉙	淡萌黄《うすもえぎ》(B)	
㉚	濃青《こきあお》	
㉛	中青《なかあお》	緑青
㉜	淡青《うすあお》	
㉝	淡木賊《うすとくさ》	
㉞	秘色《ひそく》	
㉟	中縹《なかはなだ》	
㊱	淡縹《うすはなだ》	

色票番号	染色名	染色近似の彩色名
㊲	紺青《こんじょう》	
	濃縹共	
㊳	瑠璃色《るりいろ》	
㊴	濃二藍《こきふたあい》	
㊵	中二藍《なかふたあい》	
㊶	濃紫《こきむらさき》	
㊷	中紫《なかむらさき》	紫
㊸	淡紫《うすむらさき》	藤色
㊹	薄色《うすいろ》	藤色淡く。白紫にほひ。紫具。
㊺	濃蘇芳《こきすおう》	
	経青緯蘇芳共	
㊻	中蘇芳《なかすおう》	
㊼	淡蘇芳《うすすおう》	うるみえんじの具黒味をさす
㊽	白《しろ》	

4　重・襲の色目の配色に用いられる染・織色基本色の歴史的解説

①　紅《こう》梅《ばい》

紅梅の花の色に似て、かすかに紫味を含んだ淡い紅の色をいう。「紅梅」は平安時代の染色《そめいろ》・織色《おりいろ》・重色《かさねいろ》に見えており、染色は淡い藍の下染に紅花を上掛けして表わされ、織色は紫の経糸と紅の緯糸で織り出され、重色は表紅梅・裏蘇芳で表わされる（『四季色目』）。それらの見かけの色には多少のちがいがあるが、染の色が紅梅色の標準になる。このことは他の色の場合も同じである。紅梅の染色は『延喜縫殿式』[①]にあげられている染色には見えていないが、この時代では冬から春（十一月から二月まで）の色として衣色に愛用され、その名は平安文学にしばしばあらわれる。「紅梅」の色は紅染の濃さによって、濃紅梅・中紅梅・淡紅梅の三級に分けられるが、文学に単に紅梅とある場合は中紅梅を指し、その濃さは色票に見る程度である。それは大体、紅梅の花の色に当る。しかし、後世ではこれより濃く暗い色を紅梅と呼んだと見え、江戸後期の書『貞丈雑記』に、「紅梅と云色二品あり。上代に紅梅と云は桃花の濃きを云。即紅梅花の色也。後代に紅梅と云は赤に紫交りて赤黒く見ゆる色を云也。…源氏物語などにあるのは紅梅の花の色と心得べし」と見えている。紅花染の「本紅梅」は江戸時代では寛永[②]二十年（一六四三）の布令以来、百姓・町民には禁制となったから、一般には紅花のかわりに蘇芳で染めた「偽せ紅梅」が用いられた。

①『延喜縫殿式《えんぎぬいとのしき》』延喜式の律令施行細則の一つで、中務省縫殿寮に関する律令の中で染色の材料・用度を示したもの。
②寛永二十年に幕府が出した庶民の生活規正の布令に、「一、庄屋、惣百姓共衣類、紫・紅梅染致間敷候」とあり、これに類する奢多禁令は将軍・老中の代替りの折に出されている。

② 紅《くれない》

紅花で染めた赤系統の色で、その色相は緋のように黄味を含まず、蘇芳のように紫味を含まない艶麗な赤色である。紅を「くれない」と訓むのは、もと紅花を「呉《くれ》の藍《あい》」と呼んだからで、その染料が呉の国から伝わったことによるという。その名の「呉《くれ》」は唐《から》と同じく中国を指す一般語で、「呉《くれ》（中国）伝来の藍《あい》（染料）」の意であろう。中国では古来、紅花を「紅藍」と呼んでおり、平安中期の『①倭名類聚鈔』には、「紅藍。久礼乃阿井、本朝式云紅花」とある。「紅」の色は、濃さによって濃・中・淡の三段階に分けられるが、普通、紅といえば中紅をさす。それより濃い紅は『万葉集』では「②紅《くれない》の八塩《やしお》」と詠まれている。八塩とは紅を濃くするために八回も染め重ねる（八染）の意で、紅の濃染と同義であるが、『延喜縫殿式』ではこれを「韓紅《からくれ》花《ない》」と呼び「中紅花」と区別している。ただし、『縫殿式』の「中紅花」は紅花の使用が少なく、その濃さはここに示す標準の中紅に比してはるかに淡い色になっている。重色目に「紅」とあるのは色票の「中紅」程度の濃さである。

① 『倭名類聚鈔《わみょうるいじゅうしょう》』十巻。源順撰。日本・中国の物名の語義、音・訓を解説した辞書。承平五年（九三五）頃成立。
② 『万葉集』巻十一。紅《くれない》の八入《やしほ》の衣朝《ころもあさ》な朝《あさ》なれはすれどもいやめづらしも

③ 赤《あか》

「あか」はわが上代では赤色系統の総括名であったが、やがて太陽の色に見る黄味の鮮やかな緋色《ひいろ》を指すようになり、これを「あけ」と呼んだ。あかとあけとは同意語である。『延喜縫殿式』では「緋《あけ》」の染色を「深緋」と「浅緋」に区別しているが、深緋の染色は茜の赤に紫根の紫を上掛けした紫味の赤褐色で、浅緋の方が茜《あかね》の単一染の正統の緋の色である。したがって、赤の色は『縫殿式』の浅緋に当るわけだが、平安中期頃から緋染に支子《くちなし》の黄と蘇芳の赤を交染して鮮明な緋色が染められるようになり、更に、後世では鬱金《うこん》(黄)が用いられるようになって、黄蘗—鬱金—紅花を重ねて一層華やかな紅緋系統の赤が染められるようになった。このように、「赤」の色調は古代と中・近世とはずいぶんちがってくる。重色目に用いられる「赤」は色票の中赤

程度の色であろう。ところで、平安文学には「赤白橡《あかしろつるばみ》（櫨《はじ》の黄と茜の赤との交染による淡赤茶色で、上皇の御袍の色とされた禁色）のことを「赤色」と呼んでいるから、文面では赤白橡と本来の赤色との区別がつきにくいが、本来の赤の色は「赤衣」、「赤裳」のように「赤」一字の表現になっている。重色目の表・裏のあかの色名にも上記の「赤色」と「赤」の二種が見られるが、一般に女房装束の色目は本来の「赤」に近い濃い色が用いられたようである。

④ 檜《ひ》皮《はだ》色《いろ》　ひわだいろ

檜《ひのき》の皮の色のような赤褐色をいう。「檜皮色」は『宇津保物語』や『源氏物語』などの衣の色の記事に見えており、当時は一般的な色となっていた。この色は後世では「赤茶」と呼ばれるもので、江戸時代では庶民の愛用色の一つとなっているが、重色目では「檜皮色」は裏を白にとって老人の衣色としている。檜皮色を少し紅がからせたものは「紅檜《べにひはだ》」と呼ばれるが、それが呼ばれるのは江戸中期以後である。なお、江戸時代に出た茶系統の色に「鳶色《とびいろ》」があるが、これと檜皮色とは色調が幾分似ているため、檜皮色を鳶色の古名と見ている書（『手鑑模様節用』）もある。しかし、檜皮色の方が鳶色よりも赤味がちで、やや明るい。

⑤ 香《こう》　かう

香とは香料のことであるが、その香料を染料に転用して染めた色が本染の「香」の色である。用いられる染料は南方産の丁花の蕾（丁子）で、それで染めた香染はしばらくの間香料の薫りを伴うまことに高尚な染色である。「香」の標準（中香）の色調は黄褐色だが、濃さによって、「濃き香」（こがれ香ともいう）と、中香即ち「香染」（丁子染ともいう）と、「淡き香」（香色ともいう）とに分けられる。『源氏物語』に、「丁子染の、こがるるまで染める」とあるのは濃き香である。淡き香は後世の「白茶《しらちゃ》」にあたる。「香」の染色を創案したのは、左大臣源高明（九一四—八二）といわれているが、真偽はともかく、当時、高価な香料を染料に用いることが出来たのは一部の高位貴族だけで、一般には紅花と支子による代用の香染が用いられた。代用染は本染に比して渋味のない単調な黄橙色であるが、江戸時代では代用染料に楊梅皮《ももかわ》（やまももの木の皮）を用いて「丁子茶《ちょうじちゃ》」を染めた。

⑥ 朽《くち》葉《ば》

朽ち果てた木の葉に見るような、褐色味の黄橙色をいう。この色を『歴世服飾考』は「俗にいふきがらちゃ（黄唐茶）にて黄色のうるみたるなり」と説明している。朽葉を名乗る色は他に、「赤朽葉」、「黄朽葉」、「青朽葉」があり、俗に「朽葉四十八色」といわれるように、それぞれ微妙な変相色を生んでいるが、この三系統の色は「朽葉色」から分化したものである。朽葉色は濃度によって、濃・中・淡の三級に分けられるが、朽葉の標準の色は勿論中朽葉である。朽葉の染色には紅花と支子、もしくは刈安が用いられる。

⑦ 山《やま》吹《ぶき》色《いろ》

山吹の花の色のような冴えた赤味の黄色をいう。「山吹」の色は支子と茜、もしくは紅花との交染で染められるが、この色は黄金の色に似ていることから「黄金色《こがねいろ》」ともいわれる。「山吹」の名は平安文学の衣の色に見え、『栄花物語』には、「山吹の織物の表着」が見えている。その織色は、経紅緯黄（『物具装束抄』）となっている。山吹は「欵冬」とも書かれる。

⑧ 鳥《とり》ノ子《こ》色《いろ》

鶏卵の殻の色のような、ごく淡い灰味の黄色をいう。この「鳥ノ子色」同様、鶏卵に因んだ色に「玉子色」というのがあるが、この方は鶏卵の黄味《きみ》の明るい黄色を指すから、色相は共に黄系統であるが、鳥ノ子色の方が淡くて鈍い。この鳥ノ子色に似て、それより更に淡く白に近い色が、いわゆる「練色《ねりいろ》」で、『貞丈雑記』にも「練色は白くして少し薄黄帯びたる色也」とある。練色の名は、灰汁《あく》で練ったままの白っぽい糸の色から来ている。重色目には「鳥ノ子重」があって、配合に諸説があるが、『色目秘抄』に、表白・中倍紅梅・裏黄とある重色が染め色の「鳥ノ子色」に近い。

⑨ 黄《き》

「き」と訓む和名が何に由来するのか、その名がいつごろから呼ばれるようになったかは定かでないが、黄の色は今日でいう色料の三原色の一つであり、古代の五行説では正色の一つとなっている最も基本的な色である。わが国では古くからその黄色を支子・刈安・黄蘗・欝金などの染料で染め出して来たが、一口に黄色といっても、その色質は染料によって一様ではなく、昔は黄色の染色名には右の染料名を用いている。ところが、かさねの色目にはすべて「黄」の基本名が用いられているから、色票では伝統名の何々の黄というのではない標準的な黄色を「中黄」とし、それを基準として黄の濃・淡の色を定めた。

⑩ 女郎花《おみなえし》

秋の七草の一つになっている女郎花の花色の様な、緑味の鮮明な黄色をいうが、「女郎花」には織色と重色があり、織色は経青緯黄（『装束抄』）である。これによると、織上りの色は実物の花の色よりは緑味の強い、「鶸萌黄《ひわ》」に近い色になる。重色目「女郎花」は表の色にこの織色が用いられているが、経糸の青のとり方では緑味がずっと弱くなり花の色に近い爽やかな色になる。色票には織色をすこし花の色に近づけて緑味の弱い黄をあてることにした。

⑪ 萌《もえ》黄《ぎ》

萌え出た若葉の色のような冴えた黄味の緑で、「若葉色」ともいう。「萌黄」の名は、緑の中に黄が目立って感じられることから出たのであろう。平安文学には萌黄の衣の名がよく見えているが、後世には萌黄のほか「萌木」の字も用いられている。『貞丈雑記』はそれについて、「もえぎ色と云は春の頃木の葉のもえ出る時の色なり。されば萌木色と書也。萌黄と書はあやまりなり。木の字を用べし。」と説いている。萌黄は又「萌葱」とも書かれるが、これは一般的な名称ではない。『紫式部日記』には「萌黄…の濃き、薄き」と、濃・淡の二級で見えているが、単に萌黄といえば、色票の「中萌黄」の色を指す。この萌黄が更に黄味を帯びると、「鶸萌黄《ひわもえぎ》」の色になり、反対に青黒味をおびると「かげもえぎ」（木賊色《とくさいろ》）になる。萌黄の染色には藍（青色）と刈安（黄色）が用いられる。

⑫ 青《あお》　あを

成長した樹葉の深い緑をいう。わが上代では寒色系統の色を総括的に「あを」と呼んだが、特に深い青緑を指す場合は、鴗鳥《そにどり》（翡翠《かわせみ》）の羽根の緑色に因んで、「そにどりのあを」と呼んでいる（『古事記』八千矛の神の御歌）。中国の陰陽五行説の色彩思想では、「青」を東方の正色（正統の色）、「緑」をその間色（亜流の色）とし、正色の青を、「東方木為蒼色、万物発生夷柔之色也」としている。この五行説でも「青」は植物の深い青緑を指しており、之に対して「緑」はわが国の若葉色程度の淡い萌黄色を指す。「緑」は平安時代でも通俗的には「あを」と呼ばれ、かさね色目でも緑色は「青《あを》」となっている。ただし、公の色制上では「緑」と書かれている。『延喜縫殿式』には「深緑」・「中緑」・「浅緑」の三級の染色が示されているが、かさねの色目にある「青（緑色）」は、『式』の中緑より濃い、色票に示す「中青」程度の色と思われる。

⑬ 木賊《とくさ》

多年生常緑羊歯類の木賊の茎の様な暗い緑色で、「かげ萌黄」ともいわれる。この染色は藍の下染に刈安を上掛けして染められるが、重色目の「若苗《わかなえ》」の表・裏に用いられる「淡木賊《うすとくさ》」はその淡染で、色票に見るような中間調の青味の緑である。木賊を名のる色は他に、「黄木賊」・「青木賊」・「黒木賊」があるが、それらは「木賊」から分化した色である。木賊の名は平安文学にはまだ見えていない。それがあらわれるのは鎌倉時代で、『宇治拾遺物語』に「木賊色の狩衣」とあるのが初見である。

⑭ 秘色《ひそく》

「秘色」の色名の由来については、重色目の秘色の項で述べた通り、磁器の青磁《せいじ》の肌色から出た名である。その色調は淡い緑味青で「淡浅葱《うすあさぎ》」と同色である。『満佐須計装束抄』に、「秋は秘色に薄襖《あお》うらつけて」とある、その薄青は秘色のことである。

⑮ 縹《はなだ》（花田）

「はなだ」とは今日の青色のこと。その染色は藍の単一染の純正な青色で、「花田」とも書かれ、「花色《はないろ》」とも呼ばれる。その名の「花」は鴨頭草《つきくさ》の花を指し、もと、その青汁で摺染をしたことに由来する。その染色は夏に花を採集し、汁をしぼり紙に浸ませて保存しておき、染色時に紙の花の色素を水に溶かして、その色を布に移すことから「移し色」と呼ばれ、文芸上ではAからBへ心をうつす変心の象徴とされた。ところが、この色素は水に落ちやすく褪《さ》めやすいため、後に青色は藍で染められるようになるが、名称はもとのままで用いられている。「はなだ」色の漢字「縹」は『釈名』[1]に「縹ハ漂ノ猶シ。漂ハ浅青色也」とあって、中国の縹は淡青だが、わが国ではこの字を借りてはなだと訓んでいる。縹は『延喜縫殿式』では、深・中・次・浅の四級に分けられ、それぞれの材料用度が示されている。縹の色は『宇津保物語』に、「こきはなだのうちき」、『源氏物語』に、「縹の唐の紙」と見えており、衣や紙の染色に用いられ、重色目には濃・中・淡の三級の縹が見えているが、単に「縹」とあるのは「中縹」である。

①『釈名《しゃくみょう》』八巻。中国後漢の劉熙の撰。諸物を二十七類に分けてその名を訓釈した書。

⑯ 紺《こん》青《じょう》 こんじゃう

岩絵具の紺青の色のような、深い紫味の青色をいう。紺青の絵具を原石からつくるには、その粉末を乳鉢に入れ、水を少しずつ加えて乳棒で軽く研《す》り、微細になった粉末を皿に移して粒子の細いものから順に、頭青・二青・三青と選り分けてゆく(『芥子園画伝』①)。この選別の色をわが国の顔料名で言えば、頭青は「白群青」、二青は「群青」、三青は「紺青」である。紺青の名は顔料名のほか染色名にも見えているが、それは江戸中・後期頃の染色見本帳であり、重色目にあらわれるのは「葉菊」・表白・裏紺青或いは表黄・裏紺青(『四季色目』)の二例にすぎない。この紺青とあるのは、実は「紺色」を指すのではないかと思われる。

①『芥子園画伝《かいしえんがでん》』清代初期の画譜。王槩の編集。初集・二集・三集がある。後には四集も出た。早くからわが国に伝わり、南画、更に浮世絵にも大きな影響を与えた。

⑰ 瑠《る》璃《り》色《いろ》

瑠璃は七宝の一つに数えられている玉石で、その色は紫味の深い青色である。その色調は上掲の「紺青」に似ているが、それよりも深く冴えている。染色での瑠璃は藍で染め出される花田系統の色であるが、その鮮やかさを出すにはかなりの手練を要する。したがって古い時代の染色では瑠璃の色調は花田や浅葱色と混同されており、『装束抄』に「濃花田色也。今濃浅黄ト云。…瑠璃之指貫極熱ノ比着用ス」とあることなどから、「瑠璃」といっても、一般には縹の冴えた色だったと思われるが、色票には本来の瑠璃の色を用いることにした。

⑱ 二《ふた》藍《あい》 ふたあゐ

藍と紅花との交染による、にぶい青紫をいう。二藍の「藍」は「染料」の意で、その名称は、青藍（藍草）と紅藍（紅花）の二つの染料で染める染法からつけられたものである。『装束抄』に、「二藍。赤花と青花トニテ染也。夏用レ之」とある。「二藍」の染色があらわれるのは平安時代で、当時は深・浅の二級に分けられているが、単に「二藍」といえば、色票の「中二藍」を指す。平安時代から二藍のような二種の染料の交染で中間色相や破色調の微妙な色が多くなって来た。二藍には染色のほか、織色・重色があり、織色は経紅緯藍色で織り出される。その色は織・重いずれも中性的で涼しく感じられるため、夏期苦熱の頃の衣色に用いられる。その衣色の記事は、

「二藍の織物の袿」(『落窪物語』)、「二藍の羅の汗衫」(『源氏物語』)など、所見が多い。

⑲ 紫《むらさき》

紫草の根(紫根)を染料とし、灰汁と酢で発色させた優艶な紫色をいう、『延喜縫殿式』では紫染は濃染の「深染」と淡染の「浅紫」の二級に分けられ、「中紫」はないが、普通、紫というのは中紫の色である。紫染は濃く染めると青味を増し、淡く染めると赤味を増すから、中紫は濃度・色相共に両者の中間の色である。わが古代の色制で紫の濃度を示す名には「深紫」・「浅紫」のほか、「黒紫」・「赤紫」があるが(持統天皇四年の色制)、それは濃い紫が黒味がかって見え、淡い紫が赤味がかって見えるからで黒・赤の紫は別種のものではない。紫染が行われるようになるのは飛鳥時代で、以来それは優艶・高貴・なつかしき色として憧憬されてきたが、平安時代の貴族はこれを、縁《えん》につながる者にも情をかける、意で「ゆかりの色」と呼んだ。そのわけは、染料の紫根が揮発性が強く保存中に周辺の部分にもボーッと紫味の色をつけるからである。ところで、「むらさき」という名だが、その和名がどこから来たのかについて色々な説があるが、『万葉植物新考』所載、宮崎道三郎氏の説「紫草を伝えた半島語ポラサキ(ポラセック→紫の色名)の転訛したもの」というのが注目される。さて、平安時代では濃い紫は禁色《きんじき》とされ、下級の者はその着用が禁じられたが、末期以後武家の台頭によってその制もゆるくなり、後に普通の紫は女房のかさねの色目にもとり上げられるようになった。

⑳ 蘇《す》芳《おう》

印度・ビルマ（現ミャンマー）などの南方諸国に生育する蘇芳《すおう》の木質部を染料として染めた紫紅色をいう。わが国には「花蘇芳」と呼ぶ蘇芳色の花を咲かせる木があるが、これは蘇芳木ではない。「蘇芳」は奈良時代の養老衣服令《ようろういふくりょう》の服色等差《ふくしょくとうさ》（服色の尊卑の序列）では紫の下、緋の上に位置づけされ、高位の色となっている。そのわけは、色相が紫味を含み、外来の新奇な色だったからだろう。またそれは、紫と紅の中間の艶麗な色だから、平安時代以後も大いに愛用されている。蘇芳色は『延喜縫殿式』では、深・中・浅に分けられているが、中蘇芳が蘇芳色を代表する。重色目一覧表に『蘇芳』が用いられている回数を見ると、全四十八色中、第六位を占めている。この蘇芳色とは別に、蘇芳木に明礬を媒染して染めた紅に似た色を後世では「偽《に》せ紅梅」或いは「甚三紅《じんざもみ》」といって愛用した。

㉑ 白《しろ》

「しろ」という語は、わが古代では物の生地の色味がまだ残っている「素色《しろいろ》」を指す場合と、色味が全然残っていない無彩色の「純白」、絹布でいえば、灰汁で練った「白絹」の白を指す場合がある。この練絹の輝く白は特別視され、「衣服令」の服色尊卑の序列では最上位に位置づけられている。しろの漢字「白」は、日の光が上方に発しているところを表わしたものという。「衣服令」では「白《しろき》」と訓んで白い帛（絹）を指し、天子の袍色と定めている。この白色特別視の精神から、白色を瑞色として、白い特種な動物の出現を吉兆と見るようになり、それに因んだ年号「白雉《はくち》」（孝徳天皇六五〇―五四）や、私年号の「白鳳《おう》」（美術史上の奈良時代前期）がつけられた。瑞色としての白色は、以後の各時代に神事・婚礼・一般儀式の色としてうけつがれる。この色はまた、配色上効果的であることから、重・襲の色目の配色に美的・象徴的に用いられ、とり上げられる色の中では白が圧倒的に多い。

日本色研色相環上の重色目基本色の色調の位置

◆A図　色系統の分類

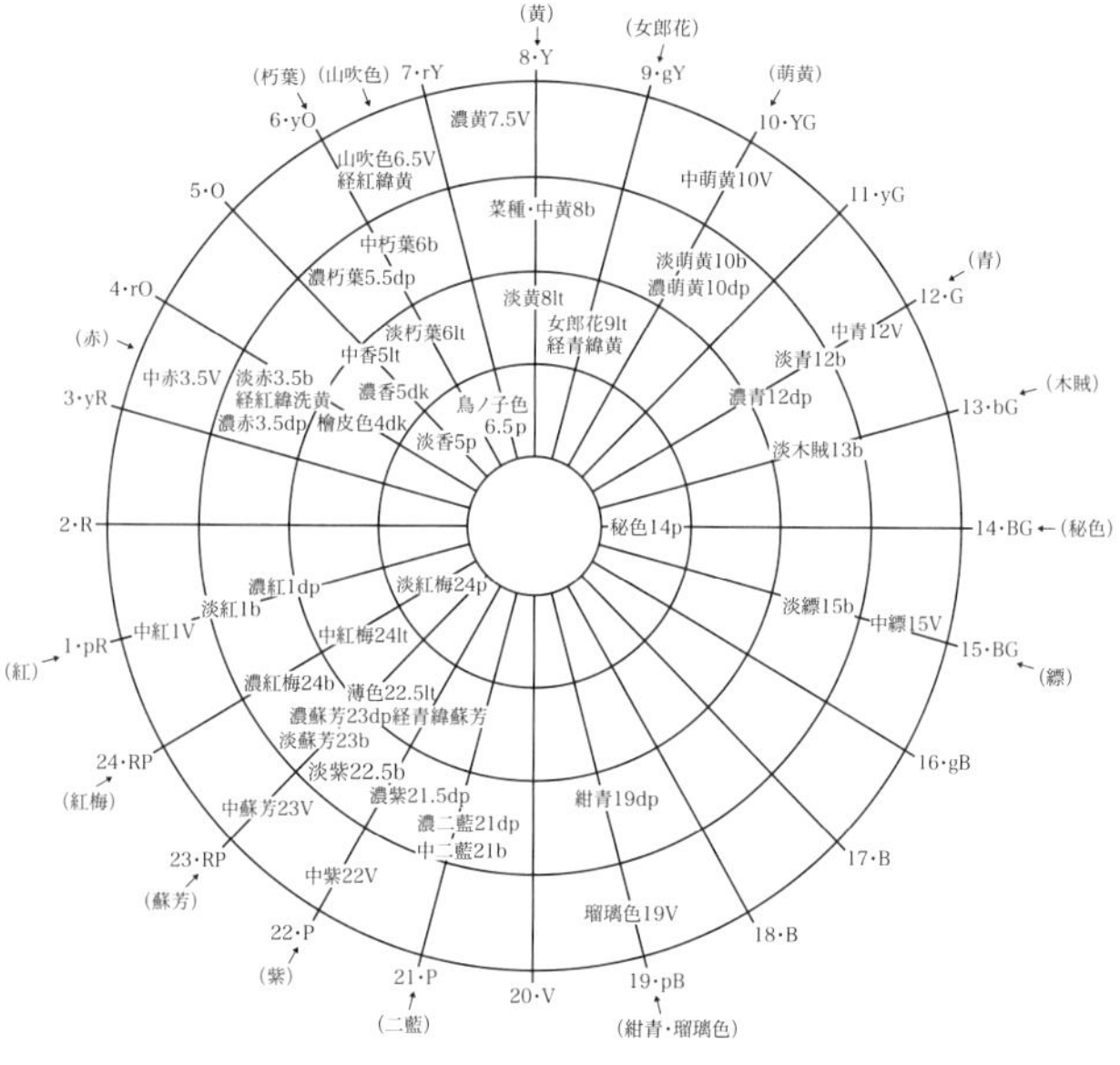

◆色系統の分類

色相番号	系統色名	該当マンセル記号
1pR	むらさきみのあか	1.0R
2R	あか	4.0R
3yR	きみのあか	7.0R
4rO	あかみだいだい	10.0R
5O	だいだい	5.0YR
6yO	きみのだいだい	9.0YR
7rY	あかみのき	2.5Y
8Y	き	5.5Y
9gY	みどりみのき	10.0Y
10YG	きみどり	5.0GY
11yG	きみみどり	10.0GY
12G	みどり	5.0G
13bG	あおみのみどり	10.0G
14BG	あおみどり	5.0BG
15BG	あおみどり	10.0BG
16gB	みどりみのあお	5.0B
17B	あお	10.0B
18B	あお	3.0PB
19pB	むらさきみのあお	6.0PB
20V	あおむらさき	9.0PB
21P	むらさき	2.5P
22P	むらさき	7.5P
23RP	あかむらさき	2.5RP
24RP	あかむらさき	7.5RP

日本色研トーン分類図上の重色目基本色の色調位置

◆B図　トーンの分類(その1)

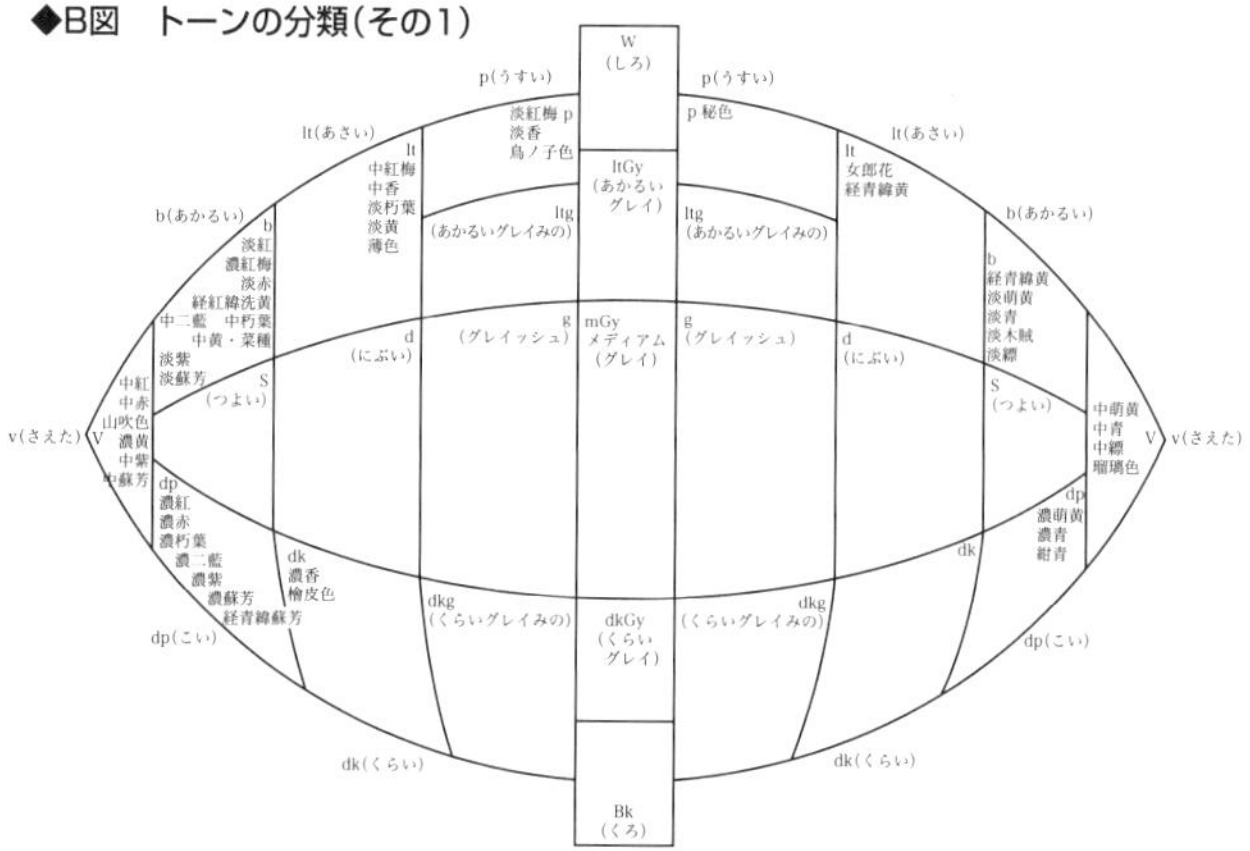

◆B図　トーンの分類(その2)

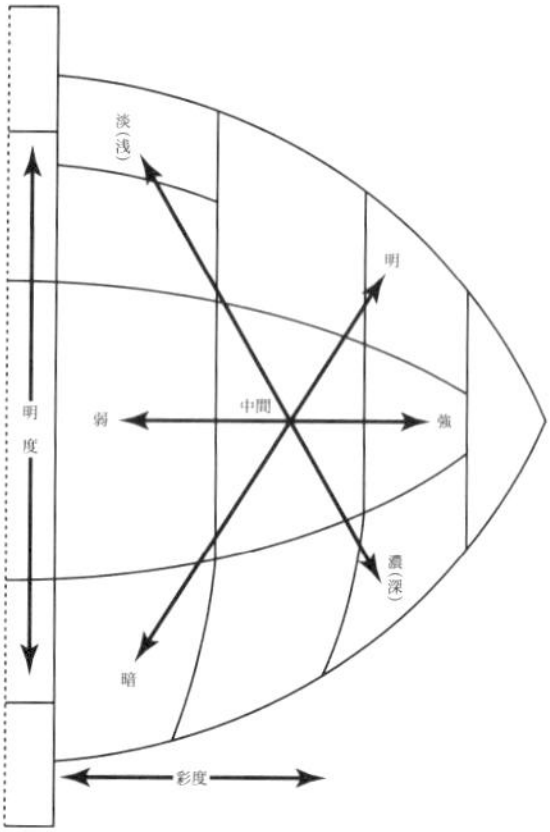

◆〈別表〉日本色研によるトーンの分類表

トーン記号	トーン形容詞	
v	vivid	さえた
b	bright	あかるい
s	strong	つよい
dp	deep	こい
p	pale	うすい
lt	light	あさい
d	dull	にぶい
dk	dark	くらい
ltg	lightgrayish	あかるいグレイみの
g	grayish	グレイみの
dkg	darkgrayish	くらいグレイみの
W	white	しろ
ltGy	lightgray	あかるいグレイ
mGy	mediumgray	グレイ
dkGy	darkgray	くらいグレイ
BK	black	くろ

附 重・襲の色目の色票に用いられる染・織色の色調表示一覧表

（日本色研色調記号による）

色票番号	重色目に用いられる染・織色の名称	日本色研色調記号
1	濃紅梅	24b
2	中紅梅	24lt
3	淡紅梅A	24p
4	同　　B	24p
5	濃紅	1dp
6	中紅	1V
7	淡紅A	1b
8	同　B	1lt
9	濃赤	3.5dp
10	中赤	3.5V
11	淡赤	3.5b
	経紅緯洸黄共	
12	檜皮色	4dk
13	濃香	5dk
14	中香	5lt
15	淡香	5p
16	濃朽葉	5.5dp
17	中朽葉	6b
18	淡朽葉A	6lt
19	同　　B	6p
20	山吹色	6.5V
	経紅緯黄共	
21	鳥ノ子色	6.5p
22	濃黄	7.5V
23	中黄	8b
24	淡黄	8lt
25	女郎花	9lt
	経青緯黄共	
26	濃萌黄	10dp
27	中萌黄	10V
28	淡萌黄A	10b
29	同　　B	10lt
30	濃青	12dp
31	中青	12V
32	淡青	12b
33	淡木賊	13b
34	秘色	14p
35	中縹	15V
36	淡縹	15b
37	紺青	19dp
38	瑠璃色	19V
39	濃二藍	21dp
40	中二藍	21b
41	濃紫	21.5dp
42	中紫	22V
43	淡紫	22.5b
44	薄色	22.5lt
45	濃蘇芳	23dp
	経青緯蘇芳共	
46	中蘇芳	23V
47	淡蘇芳	23b
48	白	W

5　色票に掲載の重色目120種の表・裏色による配色の色相別・トーン別分類一覧表

註．同は同一、類は類似、中は中間、対は対立、
ナシは色相関係なしを示す。表中の青は緑を指す。

色票の色目番号	重色目の名称	表色の色調	裏色の色調	配色の対比効果	
				色相別	トーン別
1	梅《うめ》	白　W	蘇芳　23V	ナシ	大
2	梅重《うめがさね》	濃紅　1dp	紅梅　24lt	類	大
3	裏梅《うらうめ》	紅梅　24lt	紅　1V	類	中
4	紅梅《こうばい》	紅梅　24lt	蘇芳　23V	類	中
5	紅梅匂《こうばいのにおい》	紅梅　24lt	淡紅梅　24p	同	小
6	莟紅梅《つぼみこうばい》	紅梅　24lt	濃蘇芳　23dp	類	大
7	若草《わかくさ》	淡青　12b	濃青　12dp	同	中
8	柳《やなぎ》	白　W	淡青　12b	ナシ	中
9	面柳《おもやなぎ》	濃青　12dp	濃青　12dp	同	ナシ
10	黄柳《きやなぎ》	淡黄　8lt	青　12V	類	中
11	青柳《あおやなぎ》	濃青　12dp	紫　22V	対	小
12	花柳《はなやなぎ》	青　12V	淡青　12b	同	小
13	柳重《やなぎがさね》	淡青　12b	淡青　12b	同	ナシ
14	桜《さくら》	白　W	赤花　1V	ナシ	大
15	樺桜《かばざくら》	蘇芳　23V	赤花　1V	類	ナシ
16	薄花桜《うすはなざくら》	白　W	淡紅　1b	ナシ	大
17	桜萌黄《さくらもえぎ》	萌黄　10V	赤花　1V	対	ナシ

18	薄桜萌黄《うすさくらもえぎ》	淡青　12b	二藍　21b	対	ナシ
19	葉桜《はざくら》	萌黄　10V	二藍　21b	対	小
20	菫《すみれ》	紫　22V	淡紫　22.5b	類	小
21	壺菫《つぼすみれ》	紫　22V	淡青　12b	対	小
22	桃《もも》	淡紅　1b	萌黄　10V	対	小
23	早蕨《さわらび》	紫　22V	青　12V	対	ナシ
24	躑躅《つつじ》	蘇芳　23V	萌黄　10V	対	ナシ
25	紅躑躅《くれないつつじ》	蘇芳　23V	淡紅　1b	類	小
26	白躑躅《しらつつじ》	白　W	紫　22V	ナシ	大
27	山吹《やまぶき》（欵冬）	淡朽葉　6lt	黄　8b	類	小
28	裏山吹《うらやまぶき》	黄　8b	紅　1V	中	小
29	山吹匂《やまぶきのにおい》	山吹色　6.5V	黄　8b	類	小
30	青山吹《あおやまぶき》	青　12V	黄　8b	類	小
31	藤《ふじ》	薄色　22.5lt	萌黄　10V	対	中
32	白藤《しらふじ》	淡紫　22.5b	濃紫　21.5dp	類	中
33	牡丹《ぼたん》	淡蘇芳　23b	白　W	ナシ	大
34	卯花《うのはな》	白　W	青　12V	ナシ	大
35	蝦手《かえで》（鶏冠木／楓）	青　12V	青　12V	同	ナシ
36	若蝦手《わかかえで》	淡青　12b	紅　1V	対	小
37	杜若《かきつばた》（燕子花）	淡萌黄　10b	淡紅梅　24p	対	中
38	葵《あおい》	淡青　12b	淡紫　22.5b	対	ナシ
39	楝《おうち》（樗）	薄色　22.5lt	青　12V	対	中

40	蓬《よもぎ》	淡萌黄　10b	濃萌黄　10dp	同	中
41	百合《ゆり》	赤　3.5V	朽葉　6b	類	小
42	苗色《なえいろ》	淡青　12b	黄　8b	類	ナシ
43	若苗《わかなえ》	淡木賊　13b	淡木賊　13b	同	ナシ
44	菖蒲《しょうぶ》	青　12V	濃紅梅　24b	対	小
45	破菖蒲《はしょうぶ》	萌黄　10V	紅梅　24lt	対	中
46	若菖蒲《わかしょうぶ》	淡紅　1b	青　12V	対	小
47	根菖蒲《ねしょうぶ》	白　W	濃紅　1dp	ナシ	大
48	菖蒲重《しょうぶがさね》	菜種　8b	萌黄　10V	類	小
49	薔薇《そうび》	紅　1V	紫　22V	類	ナシ
50	橘《たちばな》	濃朽葉　5.5dp	黄　8b	類	中
51	花橘《はなたちばな》（盧橘）	朽葉　6b	青　12V	中	小
52	撫子《なでしこ》（瞿麥）	紅　1V	淡紫　22.5b	類	小
53	唐撫子《からなでしこ》（韓撫子）	紅　1V	紅　1V	同	ナシ
54	蟬《せみ》の羽《は》	檜皮色　4dk	青　12V	中	中
55	夏萩《なつはぎ》	青　12V	濃紫　21.5dp	対	小
56	萩《はぎ》（芽子）	紫　22V	白　W	ナシ	大
57	萩経青《はぎたてあお》	経青 緯蘇芳　23dp	青　12V	対	小
58	萩重《はぎがさね》	紫　22V	二藍　21b	類	小
59	花薄《はなすすき》	白　W	縹　15V	ナシ	大
60	女郎花《おみなえし》（敗醤）	経青緯黄　9lt	青　12V	類	中
61	朽葉《くちば》	濃紅　1dp	濃黄　7.5V	中	小

62	青朽葉《あおくちば》	経青緯黄　9lt	青　12V	類	中
63	赤朽葉《あかくちば》	経紅 緯洗黄　3.5b	黄　8b	中	ナシ
64	黄朽葉《きくちば》	朽葉　6b	朽葉　6b	同	ナシ
65	龍膽《りんどう》	淡蘇芳　23b	青　12V	対	小
66	小栗色《こぐりいろ》	秘色　14p	淡青　12b	類	中
67	落栗色《おちぐりいろ》	蘇芳黒味　23dp	香　5lt	中	中
68	荻《おぎ》	蘇芳　23V	青　12V	対	ナシ
69	檀《まゆみ》（真弓）	朽葉　6b	萌黄　10V	類	小
70	朝顔《あさがお》（牽牛子）	縹　15V	縹　15V	同	ナシ
71	忍《しのぶ》	淡萌黄　10b	蘇芳　23V	対	小
72	紫苑《しおん》	紫　22V	蘇芳　23V	類	ナシ
73	桔梗《ききょう》	二藍　21b	濃青　12dp	対	中
74	藤袴《ふじばかま》	紫　22V	紫　22V	同	ナシ
75	鴨頭草《つきくさ》（月草）	縹　15V	淡縹　15b	同	小
76	梶《かじ》（楮）	萌黄　10V	濃萌黄　10dp	同	小
77	櫨《はじ》	朽葉　6b	黄　8b	類	ナシ
78	紅葉《もみじ》	赤　3.5V	濃赤　3.5dp	同	小
79	黄紅葉《きもみじ》	黄　8b	濃黄　7.5V	類	小
80	青紅葉《あおもみじ》	青　12V	朽葉　6b	中	小
81	櫨紅葉《はじもみじ》	蘇芳黒味　23dp	黄　8b	対	中
82	楓紅葉《かえでもみじ》（蝦手紅葉）	淡青　12b	朽葉　6b	中	ナシ
83	初紅葉《はつもみじ》	萌黄　10V	淡萌黄　10b	同	小

84	白菊《しらぎく》	白　W	萌黄　10V	ナシ	大
85	移　菊《うつろいぎく》	紫　22V	黄　8b	対	小
86	莟 菊《つぼみぎく》	紅　1V	黄　8b	中	小
87	紅　菊《くれないぎく》	紅　1V	青　12V	対	ナシ
88	蘇芳菊《すおうぎく》	白　W	濃蘇芳　23dp	ナシ	大
89	残 菊《のこりぎく》	黄　8b	白　W	ナシ	大
90	葉菊《はぎく》	白　W	紺青　19dp	ナシ	大
91	九月菊《くがつぎく》	白　W	黄　8b	ナシ	大
92	菊 重《きくがさね》	白　W	淡紫　22.5b	ナシ	大
93	花菊《はなぎく》	淡蘇芳　23b	濃蘇芳　23dp	同	中
94	虫襖《むしあお》（虫青）	青黒味　12dp	二藍　21b	対	中
95	枯色《かれいろ》	淡香　5p	青　12V	中	大
96	枯野《かれの》	黄　8b	淡青　12b	類	ナシ
97	氷《こおり》	白　W	白　W	ナシ	ナシ
98	氷　重《こおりがさね》	鳥ノ子色　6.5p	白　W	ナシ	小
99	雪《ゆき》の下《した》	白　W	紅梅　24lt	ナシ	中
100	椿《つばき》	蘇芳　23V	赤　3.5V	類	ナシ
101	松 重《まつがさね》	青　12V	紫　22V	対	ナシ
102	比金襖《ひごんあお》（比金青）	青黄気　12V	二藍　21b	対	小
103	脂燭色《しそくいろ》	紫　22V	紅　1V	類	ナシ
104	今様色《いまよういろ》	紅梅　24lt	濃紅梅　24b	同	小
105	葛《くず》	濃青　12dp	淡青　12b	同	中

106	苦色《にがいろ》	香黒味　5dk	二藍　21b	中	中
107	海松色《みるいろ》	萌黄　10V	縹　15V	中	ナシ
108	檜皮色《ひはだいろ》	蘇芳　23V	二藍　21b	類	小
109	葡萄《えびぞめ》	蘇芳　23V	縹　15V	中	ナシ
110	蘇芳香《すおうのこう》	蘇芳　23V	黄　8b	対	小
111	二《ふた》つ色《いろ》	薄色　22.5lt	山吹色　6.5V	中	中
112	胡桃色《くるみいろ》	香　5lt	青　12V	中	中
113	秘色《ひそく》	瑠璃色　19V	薄色　22.5lt	類	中
114	木賊《とくさ》	萌黄　10V	白　W	ナシ	大
115	黒木賊《くろとくさ》	青黒味　12dp	白　W	ナシ	大
116	青丹《あおに》	青濃気　12dp	青淡気　12b	同	中
117	紅　匂《くれないのにおい》	紅淡シ　1b	紅濃シ　1dp	同	中
118	紅　薄　様《くれないのうすよう》	紅　1V	白　W	ナシ	大
119	青鈍《あおにび》	濃縹　19dp	濃縹　19dp	同	ナシ
120	苦丹色《くたにいろ》（小たに色）	青　12V	白　W	ナシ	大

以上の表を分類すると、色相別では「色相差ナシ」23組（内、白と有彩色22組、白同志1組）と、「同一色相」22組、「類似色相」31組、「中差色相」15組、「対立色相」29組となる。

トーン別では、「トーン差ナシ」30組、「トーン差小」39組、「トーン差中」29組、「トーン差大」22組となる。即ち、重色目120組の表裏の配色では、色相面は類似色相が最も多く、次いで対立色相、白との配色、同一色相、中差色相の順になる。次のトーン面では、トーン差小が最も多く、次いで、トーン差ナシ、トーン差中、トーン差大の順になるが、トーン差大には白との配色が多い。

【参考文献】（主なもの）

満佐須計装束抄	源　雅亮	
布衣記	斎藤助成	永仁三年（一二九五）
雁衣鈔		鎌倉時代末期
女官飾鈔	一条兼良	
装束抄	西三条實隆	
花鳥余情	一条兼良	文明四年（一四七二）
桃花蘂葉	一条兼良	文明一二年（一四八〇）
源氏男女装束抄	月村斎宗碩　壺井義知補	享保二年（一七一七）
曇華院殿装束抄		天文の頃
深窓秘抄	高倉永相	永禄一一年（一五六八）
胡曹抄	関白房通	
装束色彙	荷田在満撰・伊勢貞丈冠註	安永七年（一七七八）
物具装束抄		
藻塩草		
服飾管見	田安宗武	

色目秘抄	左京大夫康実	寛政一一年（一七九九）	
かさねのいろあひ	村田春梅	文政一年（一八一八）、他	
織文圖會	本間百里	文政一三年（一八三〇）	
四季色目（別名・色目分）	梨陰散人		
装束集成			
故実叢書　織文圖會（女官）	吉川半七刊	明治三五年（一九〇二）	
故実叢書　女官装束着用次第			
故実叢書　近代女房装束抄			
歴世服飾考	田中尚房	明治二七年（一八九三）	吉川弘文館
群書類従	装束部（塙保己一）続群書類従完成会	昭和七年（一九三二）	
群書解題	装束部（塙保己一）続群書類従完成会	昭和三五年（一九六〇）	
装束圖解	関根正直	昭和四年（一九二九）	六合館
日本服装史	和田辰雄	昭和八年（一九三三）	雄山閣
国文故実風俗語集釋	江馬　務	昭和一〇年（一九三五）	共立社
有職故実辞典	関根正直／加藤貞次郎	昭和一八年（一九四三）	照林堂書店
服装と故実	鈴木敬三	昭和二五年（一九五〇）	河原書店

故実叢書　装束図譜	河鰭実英	昭和二八年（一九五三）	明治図書出版社 吉川弘文堂
故実叢書　織文図譜	河鰭実英	昭和二八年（一九五三）	明治図書出版社 吉川弘文堂
日本色彩文化史	前田千寸	昭和三五年（一九六〇）	岩波書店
日本の服装	鈴木敬三	昭和四二年（一九六七）	吉川弘文館
日本衣服史	永島信子	昭和四三年（一九六八）	芸艸堂
王朝の彩色		昭和四四年（一九六九）	東京美術
平安の文様　世々のみけし	江馬　務／宇都宮誠太郎	昭和四六年（一九七一）	三一書房
色の日本史	長崎盛輝	昭和四九年（一九七四）	淡交社
枕草子の婦人服飾	安谷ふじゑ	昭和四九年（一九七四）	思文閣
平安朝服飾百科辞典	あかね会	昭和五〇年（一九七五）	講談社
平安時代女房装束　色彩美	長崎　巖	昭和五一年（一九七六）	東京芸術大学
日本文学　色彩用語集成	伊原　昭	昭和五二年（一九七七）	笠間書院
王朝の色彩譜　重色目の配色美	長崎盛輝	昭和五三年―六一年 （一九七八―八六）	『パレット』 高島屋百選会
譜説　日本傳統色彩考	長崎盛輝	昭和五九年（一九八四）	京都書院
平安の美裳　譜説　かさねの色目配彩考	長崎盛輝	昭和六三年（一九八八）	京都書院
重色目	猪飼正穀	文化一四年（一八一八）	
かさねのいろめ		文化の頃	

薄様色目　中村惟徳　文政九年（一八二六）

倭絵逸品集　大正一一年（一九二二）　倭絵刊行会

文様集成　大正一四年（一九二五）　吉川弘文館

かさねのいろあひ　昭和六年（一九三一）　西陣染織研究会

服飾史図絵　昭和四四年（一九六九）　駸々堂

源氏物語絵巻　昭和四六年（一九七一）　講談社

扇面法華経　昭和四七年（一九七二）　鹿島出版会

染織名品集　昭和四八年（一九七三）　フジアート出版

日本絵巻物全集　昭和五〇年（一九七五）　角川書店

倭名類聚鈔　源順　承平五年頃（九三五）　（風間書房　昭和四五年・一九七〇）

大和本草　貝原益軒　宝永五年（一七〇八）　（有明書房　昭和五〇年・一九七五）

本草綱目啓蒙　小野蘭山　享和三年（一七一八）

槐記　近衛家熙口授・山科道安記　享保九年序（一七二四）　（京都印刷　山田茂助　明治三三年）

安齋随筆　伊勢貞丈　天明四年（一七八四）　（明治図書・吉川弘文館　昭和二八年・一九五三）

箋注倭名類聚鈔　狩谷棭齋　文政一〇年（一八二七）　（曙社出版部　昭和八年・一九三三）

嬉遊笑覧　喜多村信節　文政一三年（一八三〇）　（名著刊行会　昭和四五年・一九七〇）

貞丈雑記	伊勢貞丈	天保一四年（一八四三）	（明治図書・吉川弘文館 昭和二八年・一九五三）
国文学に現はれたる 植物考	白井光太郎／松山亮蔵	明治四四年（一九一一）	寳文館
風俗文選通釋	藤井紫影	昭和八年（一九三三）	昭森社
装束集成			（明治図書・吉川弘文館 昭和二七・一九五二）
牧野新日本植物図鑑	牧野富太郎	昭和三六年（一九六一）	北隆館
萬葉植物新考	松田 修	昭和四五年（一九七〇）	社会思想社

［著者略歴］

長崎盛輝（ながさき・せいき）

明治四五年高知県安芸町に生まれる。京都市立絵画専門学校（現京都市立芸術大学）図案科卒業。専攻 日本色彩芸術史。京都市立芸術大学名誉教授、嵯峨美術短期大学教授、奈良教育大学大学院講師。日本色彩学会・日本風俗史学会々員。昭和六〇年勲三等瑞宝章を受ける。平成七年没。

［主な著書・論文］

『色の日本史』（淡交社・昭和四九・二）、「王朝の色彩譜—重色目の配色美」（『パレット』高島屋・昭和五三・三〜五六・三）、「日本傳統色その色調と色名」（『染織春秋』八宝堂・昭和五四・一〜五六・一二）、「江戸時代における茶色染の展開と変奏」（京都市立芸術大学美術学部研究紀要・昭和五三・三）など。

新版　かさねの色目
―平安の配彩美―
Layered Colors

発　行　2006年 9月15日　初版発行
　　　　2022年12月20日　第七刷発行

著　者　長崎盛輝

装　訂　大西和重

発行者　片山　誠

発行所　株式会社青幻舎
　　　　京都市中京区梅忠町 9-1　〒604-8136
　　　　TEL.075-252-6766 FAX.075-252-6770
　　　　https://www.seigensha.com

印刷・製本　株式会社ムーブ

Printed in JAPAN

ISBN978-4-86152-072-3 C1070

本書は、1996年刊、京都書院アーツコレクション「かさねの色目」の新装版です。

『かさねの色目』色票に使用の染・織の色、全四十八色

1　濃紅梅《こきこうばい》

2　中紅梅《なかこうばい》

3　淡紅梅《うすこうばい》（A）

4	4	4	4
5	5	5	5
6	6	6	6

4　淡紅梅《うすこうばい》（B）

5　濃《こき》　紅《くれない》

6　中《なか》　紅《くれない》

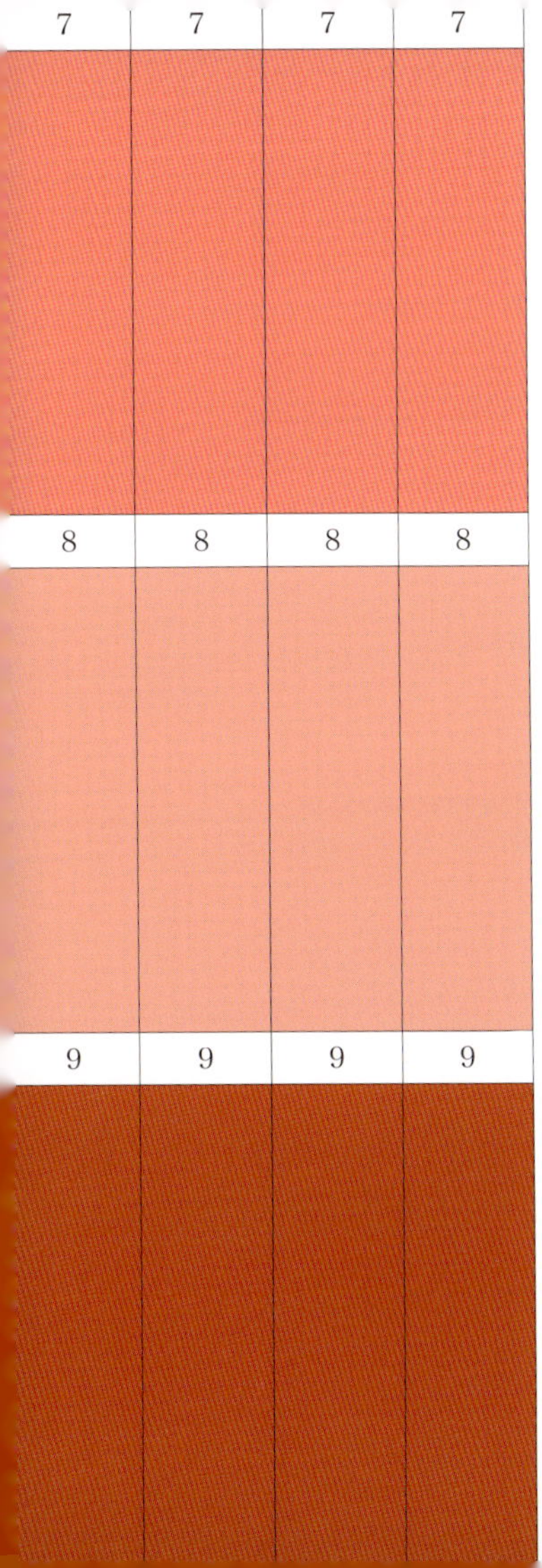

7 淡《うす》 紅《くれない》(A)

8 淡《うす》 紅《くれない》(B)

9 濃《こき》 赤《あか》

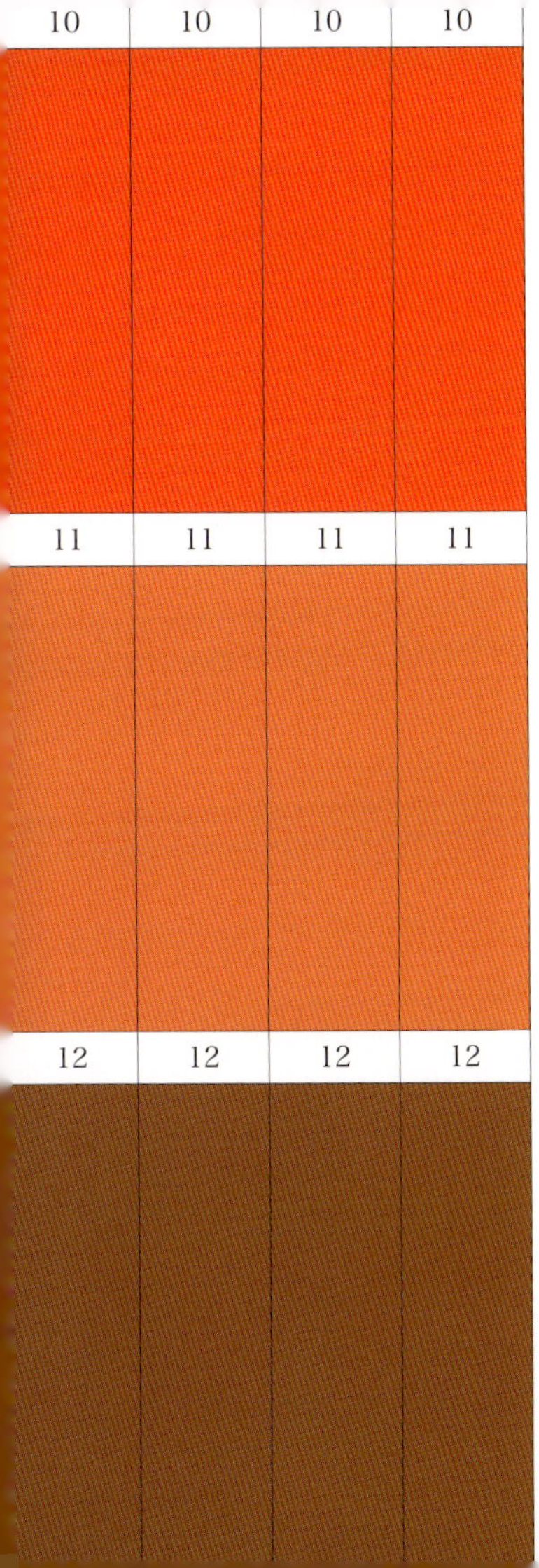

10 中《なか》　赤《あか》

11 淡《うす》　赤《あか》

経紅緯洗黄共

12 檜皮色《ひはだいろ》

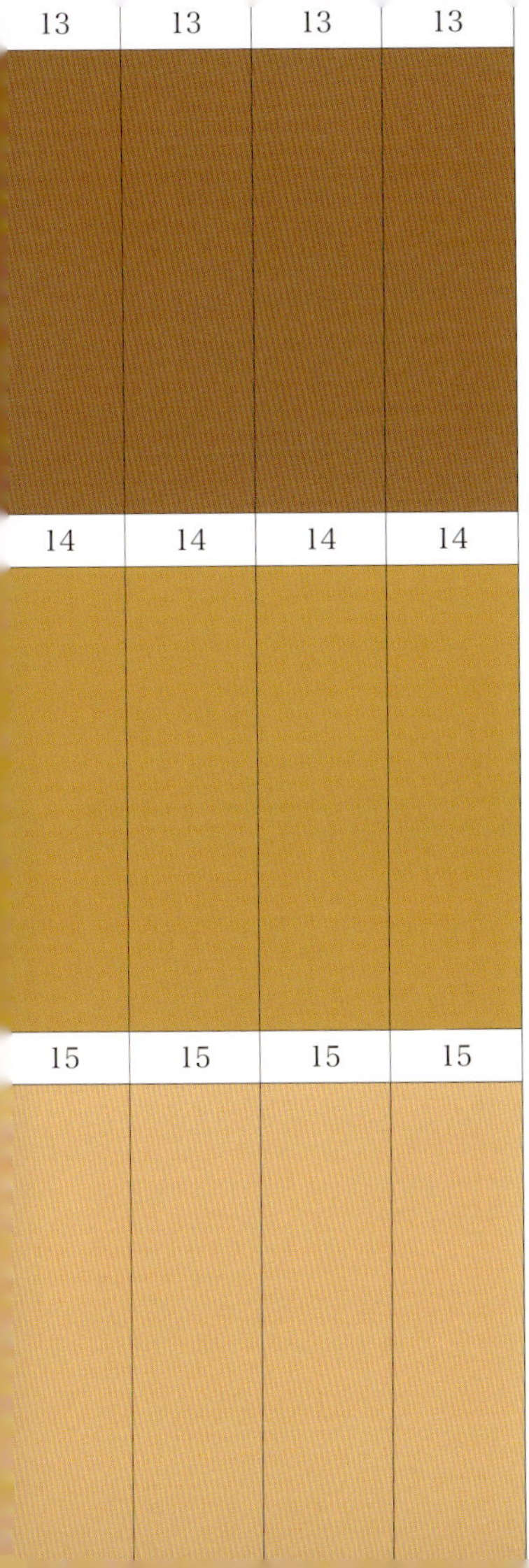

13 濃《こき》 香《こう》

14 中《なか》 香《こう》

15 淡《うす》 香《こう》

16 濃朽葉《こきくちば》

17 中朽葉《なかくちば》

18 淡朽葉《うすくちば》（A）

19	19	19	19

19 淡朽葉《うすくちば》（B）

20	20	20	20

20 山吹色《やまぶきいろ》

経紅緯黄共

21	21	21	21

21 鳥《とり》ノ子色《こいろ》

22 22 22 22

22 濃《こき》 黄《き》

23 23 23 23

23 中《なか》 黄《き》

24 24 24 24

24 淡《うす》 黄《き》

25 女郎花《おみなえし》

経青緯黄共

26 濃萌黄《こきもえぎ》

27 中萌黄《なかもえぎ》

28　淡萌黄《うすもえぎ》（A）

29　淡萌黄《うすもえぎ》（B）

30　濃《こき》　青《あお》

31	31	31	31

31 中《なか》 青《あお》

32	32	32	32

32 淡《うす》 青《あお》

33	33	33	33

33 淡木賊《うすとくさ》

34	34	34	34

34 秘《ひ》 色《そく》

35	35	35	35

35 中《なか》 縹《はなだ》

36	36	36	36

36 淡《うす》 縹《はなだ》

37 紺《こん》青《じょう》

38 瑠《る》璃《り》色《いろ》

39 濃二藍《こきふたあい》

40 40 40 40

40 中二藍《なかふたあい》

41 41 41 41

41 濃《こき》 紫《むらさき》

42 42 42 42

42 中《なか》 紫《むらさき》

43 淡《うす》 紫《むらさき》

44 薄《うす》 色《いろ》

45 濃蘇芳《こきすおう》

経青緯蘇芳共

46	46	46	46
47	47	47	47
48	48	48	48

46　中蘇芳《なかすおう》

47　淡蘇芳《うすすおう》

48　白《しろ》